FRANCÊS
PASSO A PASSO

FRANCÊS
PASSO A PASSO

Charles Berlitz

Charles Berlitz, lingüista mundialmente famoso e autor de mais de 100 livros de ensino de línguas, é neto do fundador das Escolas Berlitz. Desde 1967, o Sr. Berlitz não está vinculado, de nenhuma maneira, às Escolas Berlitz.

Martins Fontes
São Paulo 2001

*Esta obra foi publicada originalmente nos Estados Unidos da América
com o título FRENCH Step-by-Step.
Copyright © 1979 by Charles Berlitz.
Copyright © 1994, Livraria Martins Fontes Editora Ltda.,
São Paulo, para a presente edição.*

*A edição brasileira da série Passo a Passo
foi coordenada por Monica Stahel.*

1ª edição
julho de 1994
2ª edição
novembro de 1995
4ª tiragem
setembro de 2001

Tradução
MYRIAM KHALIL

Revisão da tradução
Monica Stahel
Revisão gráfica
*Marise Simões Leal
Maria Cecília Vannucchi*
Produção gráfica
Geraldo Alves
Composição
Renato C. Carbone
Capa
Katia Harumi Terasaka

Dados Internacionais de Catalogação na Publicação (CIP)
(Câmara Brasileira do Livro, SP, Brasil)

Berlitz, Charles
   Francês Passo a Passo / Charles Berlitz ; [tradução Myriam Khalil ;
revisão da tradução Monica Stahel]. – 2ª ed. – São Paulo : Martins
Fontes, 1995.

   ISBN 85-336-0455-6

   1. Francês – Estudo e ensino 2. Francês – Gramática 3. Francês
– Livros-texto para estrangeiros – Português I. Título.

95-4801	CDD-443.2469

Índices para catálogo sistemático:
1. Francês : Livros-texto para estrangeiros : Português   443.2469

Todos os direitos desta edição para a língua portuguesa reservados à
Livraria Martins Fontes Editora Ltda.
*Rua Conselheiro Ramalho, 330/340 01325-000 São Paulo SP Brasil
Tel. (11) 3241.3677 Fax (11) 3105.6867
e-mail: info@martinsfontes.com.br http://www.martinsfontes.com.br*

SUMÁRIO

PREFÁCIO — XI

COMO PRONUNCIAR O FRANCÊS — XIII

CONVERSAÇÃO: NUM CAFÉ — 3
Artigos indefinidos — *pardon* — 2ª pessoa do singular: *vous* e *tu* — expressões de polidez — *n'est-ce pas* e *voilà*

PASSO 1: LUGARES E OBJETOS — 8
CONVERSAÇÃO: UMA CORRIDA DE TÁXI — 13
Voici — "é" e "não é" — o artigo definido — *quel* e *quelle* — o hífen nas perguntas — contrações: *du* e *au* — ordem das palavras — "quanto é?" — gênero das palavras

PASSO 2: O PRESENTE DOS VERBOS — 17
CONVERSAÇÃO: NO ESCRITÓRIO — 25
Gênero dos adjetivos — "ser" ou "estar" — possessivos — "eu não sei" — o presente de *parler* — formas afirmativa e negativa — *venir* — perguntas simples — mais expressões de polidez

PASSO 3: NÚMEROS — COMO USÁ-LOS — 29
CONVERSAÇÃO: NA UNIVERSIDADE — 36
Plural de *le, la, les = les* — "sessenta", "setenta", "oitenta" — lendo as horas — *rendez-vous* — palavras terminadas em *té* — feminino dos adjetivos — endereços — número de telefone — *tiens!* — "este" ou "aquele"

PASSO 4: LOCALIZAÇÃO DE OBJETOS E LUGARES — 41
CONVERSAÇÃO: RECEBENDO CORRESPONDÊNCIA E RECADOS — 48
"Quantos" e "quanto" — o *t* eufônico — *qu'est-ce qu'il y a* — "alguém" e "ninguém" — os partitivos — "algo" e "alguma coisa" — expressões com *quelque chose*

PASSO 5: USO CORRETO DAS FORMAS VERBAIS 52
CONVERSAÇÃO: UM CONVITE PARA O CINEMA 62
Ordens: o imperativo — "como vai?" — ação habitual, verdade genérica, ação em curso — o presente com sentido de futuro — *que* e *qu'est-ce que* — o pronome *on* — verbos com infinitivo em *er* — palavras de ligação — *chacun* e *chacune*

PASSO 6: RELAÇÕES DE PARENTESCO 67
CONVERSAÇÃO: FALANDO SOBRE UMA FAMÍLIA 71
Relações de parentesco: vocabulário — filho = *fils* — o verbo "ter" — presente de *faire* — o *de* como descritivo — o partitivo *des* — mais uma vez a polidez — pronomes demonstrativos — *en*, uma palavra-chave — *en* com números — *tous* como adjetivo e como pronome

PASSO 7: COMO LER, ESCREVER, SOLETRAR E PRONUNCIAR O FRANCÊS 77
CORRESPONDÊNCIA: BILHETE DE AGRADECIMENTO E CARTÃO-POSTAL 81
O *w* — os acentos — o *ç* — os usos de *à* — iniciais maiúsculas — *là* = aqui e lá

PASSO 8: VERBOS BÁSICOS COM REFERÊNCIA AOS SENTIDOS 85
CONVERSAÇÃO: NUMA DISCOTECA 95
Voir e *regarder, entendre* e *écouter* — os três grupos verbais — forma pronominal para o objeto direto — verbos irregulares — pronomes com função de objeto indireto — *en train de*, o verdadeiro presente — verbos do 2º grupo: *finir* — *sentir* = "sentir" e "cheirar" — "qual?", "quais?"

PASSO 9: PROFISSÕES E NEGÓCIOS 99
CONVERSAÇÃO: NUMA FESTA 102
"Fazer teatro" — *jouer de* e *jouer à* — diálogo com *vous* — *se demander* — a ordem dos pronomes

PASSO 10: INFORMAÇÕES SOBRE A DIREÇÃO A SEGUIR — VIAGEM DE AUTOMÓVEL 107
CONVERSAÇÃO: DANDO ORDENS 112
A importância do *y* — "semáforo" = *feu rouge* — ordem dos pronomes com o imperativo — *c'est moi* — no cabeleireiro: vocabulário — expressões com *faire*

PASSO 11: DESEJOS E NECESSIDADES (QUERO, POSSO, PODERIA, PRECISO, GOSTARIA DE) 118
CONVERSAÇÃO: UM PROGRAMA DE TELEVISÃO 124
"Querer", "poder", "precisar" — um convite — *il faut* — no posto de gasolina: vocabulário — "mandar fazer" — *si*, um "sim" enfático

PASSO 12: USO DOS VERBOS REFLEXIVOS 130
CONVERSAÇÃO: INDO PARA UM ENCONTRO DE NEGÓCIOS 135
Verbos reflexivos e pronomes — o *h* mudo — o *à* descritivo — plurais com *x* — *dormir* e *s'endormir* — a palavra *chez* — advérbios terminados em *ment* — verbos reflexivos descrevendo emoções — "cedo" e "tarde" — a terminação *ant*

PASSO 13: PREFERÊNCIAS E OPINIÕES 140
CONVERSAÇÃO: FAZENDO COMPRAS 145
Concordância dos adjetivos que indicam cor — o verbo *plaire* — graus dos advérbios — graus dos adjetivos — *d'accord* — "somente" = *ne... que* — expressões de carinho e insulto

PASSO 14: COMPRAS NO MERCADO E NOMES DE ALIMENTOS 154
CONVERSAÇÃO: NO RESTAURANTE 159
Relembrando os artigos partitivos — a cozinha francesa: vocabulário — lojas do bairro: vocabulário — "à moda de" — "batatas" e "maçãs"

PASSO 15: USO DO TRATAMENTO FAMILIAR (*TU*) 168
CONVERSAÇÃO: NUM TERRAÇO DE CAFÉ 175
Tu = "você" — imperativo para *tu* — usos do *tu* — *fille* e *jeune fille* — a expressão *messieurs-dames* — comparação entre os usos de *tu* e *vous*

PASSO 16: DIAS, MESES, DATAS, ESTAÇÕES DO ANO, O TEMPO 181
CONVERSAÇÃO: FALANDO SOBRE O TEMPO 188
On, 3.ª pessoa do singular — palavras terminadas em *tion* — como dizer as datas — como definir o clima — *en, au, aux* para se falar em países

PASSO 17: FORMAÇÃO DO FUTURO 193
CONVERSAÇÃO: PLANOS PARA UMA VIAGEM À FRANÇA 201
Construção do futuro a partir do infinitivo — os órgãos: vocabulário — no médico: vocabulário — derivados dos verbos irregulares — *de* antes de adjetivos — o que é um *château* — *pourtant* = "no entanto" — desinências verbais do futuro

PASSO 18: FORMAÇÃO DO PARTICÍPIO PASSADO 206
Usos do particípio passado: placas e avisos — formação do particípio passado — particípio passado em *é, i* e *u*: verbos do 1º, 2º e 3º grupos — particípios passados com outras terminações — o particípio como adjetivo — voz passiva — voz passiva com *on* — placas e anúncios sem particípio passado: vocabulário

PASSO 19: A FORMAÇÃO DO PASSADO (*PASSÉ COMPOSÉ*)
  COM O AUXILIAR *AVOIR* 215
CONVERSAÇÃO: O QUE ACONTECEU NO ESCRITÓRIO 224
O particípio passado na formação do *passé composé* — formas interrogativa e negativa do passado — *il a fallu*, passado de *il faut* — "ouvir dizer" e "ouvir falar" — *même* em combinação com os pronomes oblíquos — o pronome relativo *dont*

PASSO 20: FORMAÇÃO DO PASSADO COM O AUXILIAR *ÊTRE* 230
CONVERSAÇÃO: O QUE ACONTECEU NA FESTA 236
Verbos que fazem o passado com *être* — concordância com o sujeito — expressões com *en* — verbos pronominais no passado — concordância do particípio passado com o objeto direto — *ça marche* — *de* seguido pelo infinitivo: vocabulário — *que veux-tu*?

PASSO 21: USO DO CONDICIONAL PARA PEDIDOS E CONVITES 243
CONVERSAÇÃO: RECADO POR TELEFONE 248
O condicional por polidez — desinências do condicional — o verbo *parler* no condicional — planos para o futuro feitos no passado — falando ao telefone: vocabulário

PASSO 22: O IMPERFEITO — TEMPO USADO NAS
  NARRATIVAS 251
CONVERSAÇÃO: REUNIÃO DE FAMÍLIA — RECORDANDO O
  PASSADO 257
Usos do imperfeito — desinências do imperfeito — a palavra *boudoir* — imperfeito: ação em curso quando ocorre outra — mais expressões de polidez — advérbios de quantidade com *de* e *des*

PASSO 23: O MAIS-QUE-PERFEITO E O FUTURO "ANTERIOR" 263
O mais-que-perfeito com *avoir* e *être* — casos de emergência: vocabulário — o futuro anterior com *avoir* e *être* — a expressão *sans doute* — verbo *reduire*, um modelo

PASSO 24: CONDIÇÕES E SUPOSIÇÕES 272
CONVERSAÇÃO: O QUE VOCÊ FARIA SE GANHASSE NA LOTERIA? 277
Suposições imaginárias, um outro uso do condicional — *dites donc* — condições impossíveis — verbos seguidos por *à* — *avoir* + particípio passado

PASSO 25: USO DO SUBJUNTIVO 281
CONVERSAÇÃO: CONFLITO DE GERAÇÕES 286
O modo subjuntivo — modelos de conjugação no subjuntivo presente — o *que* como sinal para uso do subjuntivo — presente do subjuntivo de *être* e *avoir* — outros verbos irregulares no subjuntivo — o passado do subjuntivo — expressões com o subjuntivo — o subjuntivo para dar ordens — orações relativas — um atalho para expressar emoções

PASSO 26: COMO LER O FRANCÊS 294
Correspondência comercial — finais de cartas — um tempo literário, o *passé simple* — modelos de conjugação no passado simples — um trecho de Molière

VOCÊ SABE MAIS FRANCÊS DO QUE IMAGINA 303

VOCABULÁRIO PORTUGUÊS-FRANCÊS 304

PREFÁCIO

Francês Passo a Passo distingue-se nitidamente de outras obras destinadas a ensinar ou recordar o idioma francês.

Este livro será um guia valioso para o seu aprendizado do francês, passo a passo, desde o seu primeiro contato com o idioma até a conversação avançada. Você aprenderá a se exprimir corretamente no francês coloquial, sem necessidade de explicações extensas e complicadas. A partir da primeira página você irá se deparar com um material de conversação de aplicação imediata.

Esta obra atinge plenamente seus objetivos pela sua maneira lógica e peculiar de apresentar o idioma, através da abordagem "passo a passo". Cada construção, cada uso verbal, cada expressão do idioma francês, os mais diversos tipos de situações e emoções da vida cotidiana, tudo isto é apresentado em modelos de conversação concisos e fáceis de serem seguidos.

Os diálogos, além de interessantes, irão fixar-se facilmente em sua memória, pois baseiam-se em palavras imediatamente utilizáveis na comunicação com pessoas de língua francesa.

Se você for principiante, ficará surpreso com a facilidade com que aprenderá a falar o francês de maneira a ser entendido por pessoas que falam essa língua. Se você já conhece um pouco do idioma, perceberá que este livro desenvolverá sua compreensão, sua fluência, sua habilidade para incorporar novas palavras a seu vocabulário e, principalmente, sua confiança para expressar-se em francês.

Este livro foi organizado em 26 "passos", que irão levá-lo do simples pedido de um café até a habilidade de compreender e construir uma narrativa que envolva um vocabulário mais extenso e tempos verbais complexos. Ao longo do caminho, você aprenderá a iniciar diálogos, contar fatos, pedir informações, usar adequadamente frases de cumprimento e agradecimento, tornando-se apto a participar das mais diversas situações da vida cotidiana dos países de língua francesa. Simultaneamente, você absorverá um vocabulário de milhares de palavras, o uso das várias formas verbais e de uma infinidade de expressões idiomáticas.

Ao longo dos textos, são introduzidas de maneira simples e gradual, sem sobrecarregá-lo, as explicações necessárias para que você possa incorporar os novos conhecimentos e continuar avançando. No final de cada "passo" você encontrará uma parte de aplicação prática, constituída quase sempre por um trecho de conversação que, além de fixar os conceitos aprendidos, mostra hábitos e formas de expressão das pessoas de língua francesa.

Ao final do livro você descobrirá que, passo a passo, e com prazer, aprendeu a falar e entender o idioma francês.

COMO PRONUNCIAR O FRANCÊS

Todas as frases nas lições e diálogos deste livro estão escritas em três linhas consecutivas. A primeira linha está em francês, a segunda indica como se deve pronunciá-la e a terceira é a tradução para o português. Para pronunciar bem o francês, você deve ler a segunda linha como se fosse português, isto é, dando às letras a pronúncia do nosso idioma. Foram usados alguns sinais especiais, dos quais falaremos abaixo, mas que não atrapalharão em nada sua leitura. Seu objetivo é fazer você se aproximar mais de alguns sons específicos do francês. Veja um exemplo:

Où est le Musée du Louvre?
U é lẽ Mûzê du Luvr̲?
Onde fica o Museu do Louvre?

Au bout de cette rue, à droite.
O bu dẽ cét rû, a dr̲uat'.
No fim desta rua, à direita.

À medida que você for progredindo, tente pronunciar o francês sem olhar para a segunda linha, que estará sempre lá se você precisar dela. Seguem-se algumas observações que você deverá ter em mente ao longo do seu curso:
1. Para alguns sons franceses que não existem em português, utilizamos símbolos especiais. Veja quais são eles e como devem ser pronunciados:
ẽ símbolo para a pronúncia do *e* mudo e outros sons semelhantes a ele. Deve ser pronunciado com os lábios para diante, arredondados. O som produzido será entre o "e" e o "o" do português. Veja alguns exemplos:
    je / **jẽ**   monsieur / **mẽssiẽ**   amoureux / **amur̲ẽ**

û símbolo da pronúncia do *u* francês. Seu som é próximo do "i", mas deve ser pronunciado com os lábios em círculo apertado, como se fosse para assobiar (é o famoso "biquinho" do francês).
       une / **ûn'**   voiture / **vuatûr̲**

œ símbolo de um som que fica entre o "é" e o "ó" do português. É quase sempre o som de *eu*.
   heure / œ<u>r</u>'   directeur / direct**óe<u>r</u>**

œ̃ símbolo da pronúncia da vogal nasal *un*, cujo som será explicado no item 2.
   un / œ̃   parfum / pa<u>r</u>**fœ̃**

ẽ símbolo da pronúncia da vogal nasal *in*, ou em alguns poucos casos de *en*, cujo som será explicado no item 2.
   indiscret / ẽdis<u>c</u>**ré**   bien / bi**ẽ**

<u>r</u> indicaremos assim a pronúncia do *r*, para lembrar que, em francês, seu som é gutural, ou seja, deve ser produzido na garganta.
   pronom / p<u>r</u>**onõ**   radio / <u>r</u>**adiô**

' como as letras finais geralmente são mudas, usaremos este sinal para lembrá-lo de pronunciar algumas consoantes finais com ligeira ênfase ou prolongamento.
   quatre / cat<u>r</u>'   possible / possibl'

2. Existem diferenças sutis de pronúncia entre as várias vogais nasais. Tente fixá-las através de exercícios repetidos.

— para pronunciar *an* [ã], abra bem a boca. Exercite com: maman / **mamã**
— para pronunciar *en* [ẽ], projete o som para o palato. Exercite com: comment / **comẽ**
— para pronunciar *in* [ẽ], estire a boca para os lados. Exercite com: matin / **matẽ**
— para pronunciar *on* [õ], projete os lábios para a frente. Exercite com: balon / **balõ**
— para pronunciar *un* [œ̃], projete os lábios para a frente e para os lados. Exercite com: parfum / **parfœ̃**

3. É muito freqüente a ocorrência de letras mudas em francês. O *b*, o *d*, o *p* e o *t* finais são mudos. Quando seguidos de *e*, são pronunciados, porém não se pronuncia o *e*. Veja os exemplos:
   blond / **blõ**   chat / **chá**   loup / **lu**
   blonde / **blõd'**   chatte / **chat'** soupe / **sup'**

4. O *l* final deve ser pronunciado com a língua no céu da boca, e não como "u", como freqüentemente é pronunciado em português. Treine com os exemplos:
   postal / **postal'**   hôtel / **otél'**

5. Você vai notar que, na linha fonética, freqüentemente uma palavra se inicia com o som final da palavra anterior, ou até mesmo ambas aparecem ligadas. Em francês, quando uma palavra terminada em consoante vem antes de outra iniciada por vogal, quase sempre elas são pronunciadas juntas. Esta ligação é um dos fatores que dão ao francês um som tão harmonioso. Veja dois exemplos mais comuns:
   vous avez / **vu zavê**   les enfants / **lezẽfã**

6. Em *ille*, *eille* e *aille* o som do *i* se prolonga, escorregando até o *e*, não se pronunciando o *ll*. Veja como será a indicação fonética:
   famille / **famii'e**   bouteille / **butéii'e**   paille / **páii'e**

7. O *h* não tem som. Quando é aspirado ele impede que a consoante da palavra anterior se ligue com a vogal que o segue. Veja pelos exemplos:
   les hommes / **lezóm** (*h* mudo)
   les haricots / **le aricô** (*h* aspirado)

8. O *é* soa como o nosso "ê", o *è* como o nosso "é" e o *e*, sem acento, é mudo, cuja pronúncia [ĕ] explicamos no item 1.

9. As sílabas em francês são pronunciadas com igual valor, com tendência a se acentuar a última sílaba de cada palavra. Os acentos utilizados na linha fonética não têm qualquer precisão gramatical. Sua função é ajudá-lo a encontrar o som e a inflexão certos de cada palavra.

10. Em todos os idiomas, as pronúncia de uma determinada palavra pode variar conforme sua localização, a inflexão da frase em que ela está inserida, etc. Portanto, não se surpreenda se você encontrar a pronúncia de uma mesma palavra transcrita de maneiras diferentes de uma frase para outra (por exemplo: semaine / **sĕmén'** / **smén'**). Em francês isto ocorre ainda com maior freqüência como resultado da ligação entre as palavras, que já mencionamos acima.

É muito importante que você tenha sempre em mente as observações deste capítulo. Depois de ler cada lição pela primeira vez, leia novamente em voz alta. Vá aumentando sua velocidade de leitura, até chegar ao ritmo normal de conversação. Aos poucos, tente desligar-se da linha da pronúncia, considerando-a como um auxiliar nos momentos de dúvida. Estudando sozinho ou com outra pessoa, tente ler os diálogos desempenhando os diferentes papéis, representando expressões e gestos. Acostumando-se a falar com naturalidade, logo você atingirá o ritmo e a fluência necessários para se fazer entender pelos franceses.

FRANCÊS
PASSO A PASSO

CONVERSAÇÃO: NUM CAFÉ

As frases seguintes podem ser de uso imediato em qualquer café francês. Para indicar uma mudança de interlocutor os franceses usam travessão no início da sentença.

— Bonjour, monsieur.
 Bõju_r_, mĕssiḙ̂.
 Bom dia, senhor.

> *Importância da segunda linha*
> *A segunda linha, que dá a pronúncia francesa, deve ser lida como se você estivesse lendo português, e o resultado será um francês compreensível. Para pronunciar adequadamente as vogais orais e nasais, leia "Como pronunciar o francês".*

— Voilà une table libre.
 Vualá ůn' tabl' lib_r_'.
 Eis uma mesa livre.

> *Artigos indefinidos*
> *Para os substantivos masculinos usa-se em francês o artigo indefinido* un *("um"). Quando o substantivo é feminino usa-se o artigo indefinido* une *("uma").*

— Oh! Pardon, madame!
 Ô! Pa_r_dõ, madám'!
 Oh! Desculpe, senhora!

— Ce n'est rien, monsieur.
 Cĕ né riẽ, mĕssiḙ̂.
 Não há de quê, senhor.

3

Pardon
O interlocutor acaba de dizer Pardon *pàra uma senhora em quem ele esbarrou, passando por uma mesa, para chegar à sua. Ele poderia também ter dito* excusez-moi *ou* pardonnez-moi *ou* je m'excuse. *Além de servirem para desculpar-se, essas fórmulas servem também para entrar em contato ou abordar alguém de forma polida, equivalendo aproximadamente a "com licença".*

— Un café, s'il vous plaît.
 Œ̃ cafê, sil vu plé.
 Um café, por favor.

— Oui, tout de suite, monsieur.
 Uí, tud sǔit', měssiê.
 Sim, imediatamente, senhor.

— Ah! Henri. Comment allez-vous?
 A! Ẽri. Comẽ talê vu?
 Ah! Henri. Como vai?

— Très bien, merci. Et vous?
 Tre biẽ, merci. E vu?
 Muito bem, obrigado. E o senhor?

Vous *e* tu *para a 2.ª pessoa do singular*
O uso de vous *indica uma certa distância, respeito ou cerimônia, enquanto que as pessoas mais íntimas se tratam por* tu. *Também se diz* tu *às crianças. Assim,* vous *pode tanto ser traduzido por "você" como por "o senhor", "a senhora".*

— Pas mal. Asseyez-vous un moment. Je vous en prie.
 Pá mal. Asseiê vu zœ̃ momẽ. Jě vu zẽ pri'.
 Nada mal. Sente-se um momento. Por favor.

La politesse — *"a polidez"*
S'il vous plaît *é a forma usual para "por favor".* Je vous en prie, *que tem o mesmo significado, é ainda mais poli-*

do. Je vous en prie *pode ainda significar "de nada", ou "passe, por favor"*.

— Volontiers. Avec plaisir.
Volõtiê. Avéc plezir.
Claro. Com prazer.

— Garçon! Un autre café, s'il vous plaît.
Garçõ! Œ notr' cafê, sil vu plé.
Garçom! Outro café, por favor.

Garçon!
Garçon *significa "menino" e também "garçom".*

— Voilà, monsieur.
Vualá, mẽssiê.
Aqui está, senhor.

— Quel bon café!
Quél bõ cafê!
Que café gostoso!

— N'est-ce pas?
Néss' pá?
Não é mesmo?

"Você não acha?"
N'est-ce pas? — *"Não é mesmo?" — é uma expressão constantemente usada, com vários significados, como "Você não acha?", "Não estou certo?" e "Não é mesmo?"*

— Garçon, l'addition!
Garçõ, ladiciõ!
Garçom, a conta!

— Voilà, monsieur.
Vualá, mẽssiê.
Aqui está, senhor.

Voilà
Voilà *significa "aqui está", "eis aqui", "aqui estão", "eis", "pronto". Uma palavra útil,* n'est-ce pas?

— Merci pour le café.
Merci pur lě cafê.
Obrigado pelo café.

— De rien. Au revoir!
Dě riẽ. Or vuar!
De nada. Até logo!

— Au revoir et à bientôt.
Ôr vuar e a biẽtô.
Até breve.

TESTE O SEU FRANCÊS

Numere a 2ª coluna de forma a combiná-la com a 1ª. Conte 10 pontos para cada resposta correta. Veja as respostas abaixo.

1. Bom dia, senhor.	Avec plaisir.
2. Desculpe, madame.	Asseyez-vous un moment.
3. De nada, senhor.	Comment allez-vous?
4. Um café, por favor.	Au revoir et à bientôt.
5. Imediatamente, senhor.	Très bien, merci.
6. Como vai?	Pardon, madame.
7. Muito bem, obrigado.	Tout de suite, monsieur.
8. Sente-se por um momento.	De rien, monsieur.
9. Com prazer.	Bonjour, monsieur.
10. Até breve.	Un café, s'il vous plaît.

Respostas: 9, 8, 6, 10, 7, 2, 5, 3, 1, 4.

Resultado: _____ %

passo 1 LUGARES E OBJETOS

Voici un hôtel, un restaurant,
Vuaci œnotél, œ restorã,
Eis um hotel, um restaurante,

> **Voici**
> Voici *é usado como* voilà, *mas para objetos ou lugares mais próximos. Significa "olhe aqui", "aqui está", "eis", etc. Contudo,* voilà *é usado com freqüência em vez de* voici, *até para objetos mais próximos. A diferença mais clara se estabelece quando são usados na mesma frase:* voici *para o que está mais próximo e* voilà *para o que está mais longe.*

un théâtre, une banque.
ŒE teátr', ûn' bãc'.
um teatro, um banco.

Est-ce un restaurant?
Éss' ŒE restorã?
Isso é um restaurante?

Oui. C'est un restaurant.
Uí. Cé tœ restorã.
Sim. É um restaurante.

Est-ce un hôtel?
Éss' œnotél?
Isso é um hotel?

Ce n'est pas un hôtel.
Cĕ né pá zœnotél.
Isso não é um hotel.

> **"É" e "não é"**
> C'est *é a tradução para "isso é" ou "é" quando se mostra algo ou se apresenta alguém. Para formar a negação, junta-se o verbo com a construção negativa* ne... pas. *Contudo, como* est *começa por vogal, o* ne *perde o* e *e coloca-se apóstrofe. O resultado será* ce n'est pas, *que significa "isso não é" ou "não é". Para perguntas, inverte-se a ordem* est-ce? *ou* n'est-ce pas?

Qu'est-ce que c'est?
Quéss' quê cé?
O que é isso?

C'est un théâtre.
Cé tõe teátr'.
É um teatro.

Un taxi, un autobus.
Õe tacsí, õenotobůs.
Um táxi, um ônibus.

Est-ce un taxi ou un autobus?
Éss' õe tacsí u õenotobůs?
Isso é um táxi ou um ônibus?

Est-ce l'autobus pour Versailles?
Éss' lotobůs pur Versáii'e?
É o ônibus para Versalhes?

C'est un taxi.
Cé tõe tacsí.
É um táxi.

Voici un cinéma, un magasin, un musée.
Vuaci õe cinemá, õe magazẽ, õe můzê.
Eis um cinema, uma loja, um museu.

Est-ce un magasin? — Oui, c'est un magasin.
Éss' ȯe̊ magazẽ? — Uí, cé tȯe̊ magazẽ.
Isso é uma loja? — Sim, é uma loja.

Est-ce un musée? — Non, ce n'est pas un musée.
Éss' ȯe̊ můzê? — Nõ, cẻ né pá zȯe̊ můzê.
Isso é um museu? — Não, não é um museu.

Qu'est-ce que c'est?
Quéss' quẻ cé?
O que é isso?

C'est un cinéma.
Cé tȯe̊ cinemá.
É um cinema.

Une rue, une place, une statue.
Ůn' rů', ůn' plass', ůn' statů'.
Uma rua, uma praça, uma estátua.

Quelle est cette rue?
Quél' é cét' rů'?
Que rua é essa?

C'est la rue de la Paix.
Cé la rů dla Pé.
É a rua da Paz.

Quelle est cette place?
Quél' é cét' plass'?
Que praça é essa?

C'est la Place de l'Opéra.
Cé la Plass' de loperá.
É a Praça da Ópera.

> **Le, la e l'**
> *O artigo definido masculino singular é* le *e o feminino* la. *Contudo, tanto para* le *("o") quanto para* la *("a"),*

> *quando a palavra começa por vogal ou* h *mudo, a vogal do artigo é substituída por apóstrofe como no caso de* l'Opéra *e de* l'hôtel.

Quel est cet hôtel?
Quélé cetotél?
Que hotel é esse?

> **Quel *e* quelle**
> Quel *é o masculino para* "que", "o que", "qual" *e* quelle *é a forma feminina. Note a ordem das palavras. Em francês diz-se* "Que é esse hotel?" *em vez de* "Que hotel é esse?" *O adjetivo demonstrativo masculino singular (*"esse", "este", "aquele"*) é* ce *e o feminino (*"essa", "esta", "aquela"*) é* cette. Ce *torna-se* cet *quando precede uma palavra que começa por vogal ou* h *mudo, como* hôtel.

C'est l'Hôtel de Paris.
Cé lotél dĕ Pa̱ri.
É o Hotel de Paris.

Quel est ce restaurant?
Quélé cĕ ̱restora̱?
Que restaurante é esse?

C'est le Café de la Paix.
Cé lĕ Cafê dla Pé.
É o Café de la Paix.

> **Le café**
> *A palavra* café *serve para designar tanto o café, como um pequeno restaurante.*

Quelle est cette statue?
Quélé cét' statŭ'?
Que estátua é essa?

C'est une statue de Napoléon.
Cé tůn' statů dě Napoleõ.
É uma estátua de Napoleão.

CONVERSAÇÃO: UMA CORRIDA DE TÁXI

— Taxi, êtes-vous libre?
 Tacsí, ét' vu libr'?
 Táxi, está livre?

> *O hífen para as perguntas*
> *Nas perguntas coloca-se hífen entre o verbo e o pronome quando a ordem das palavras é alterada, como acima* (êtes-vous).

— Oui, monsieur. Où allez-vous?
 Uí, mĕssiê. U alê vu?
 Sim, senhor. Aonde o senhor vai?

— A l'Hôtel de Paris. Est-ce loin?
 A lotél dĕ Pari. Éss' luẽ?
 Ao Hotel de Paris. É longe?

— Non, monsieur. Ce n'est pas loin.
 Nõ, mĕssiê. Cĕ né pá luẽ.
 Não, senhor. Não é longe.

— Pardon. Où est l'Hôtel Ritz?
 Pardõ. U é lotél Ritz?
 Por favor. Onde fica o Hotel Ritz?

— Là-bas, à gauche.
 Lá bá, a goch'.
 Lá adiante, à esquerda.

— Est-ce un bon hôtel?
 Éss' œ̃ bonotél?
 É um bom hotel?

— Oui, monsieur. Très bon... et très cher.
Uí, mèssiê. Tré bõ... e tré chér.
Sim, senhor. Muito bom... e muito caro.

— Oú est le Musée du Louvre?
U é lě Můzê dů Luvr?
Onde fica o Museu do Louvre?

— Au bout de cette rue, à droite.
O bu dě cét' rů, a druát'.
No fim dessa rua, à direita.

> de + le = du
> à + le = au
> *A preposição* de *faz contração com o artigo definido masculino* le, *assim como* à *se contrai com* le. *Tornam-se, respectivamente,* du *e* au, *da mesma forma que em português teríamos "do" e "ao". Contudo, com o artigo definido feminino* (la), *não há contração.*

Ce grand bâtiment là-bas.
Cě grã batimē labá.
Aquele prédio grande, ali adiante.

Nous voilà à l'Hôtel de Paris.
Nu vualá a lotél dě Pari.
Chegamos ao Hotel de Paris.

> *Ordem das palavras*
> *Observe que* nous *("nós") precede* voilà. *Em português teríamos "eis-nos", "cá estamos", "chegamos". Em francês é* nous voilà.

— Très bien. Merci. C'est combien?
Tré biē. Merci. Cé combiē?
Muito bem. Obrigado. Quanto é?

> *"Quanto é?"*
> *Deveríamos dizer* combien est-ce?. *Mas é mais freqüente a forma do francês informal, familiar,* c'est combien?

— Quatre francs.
Catr' frã.
Quatro francos.

— Voyons, un, deux, trois, quatre... et cinq.
Vuaiõ, õe, dê, truá, catr'... e çẽc.
Vejamos, um, dois, três, quatro... e cinco.

— Merci, monsieur.
Merci, mêssiê.
Obrigado, senhor.

> *O gênero das palavras*
> *Quando se estuda francês, no início fica difícil saber quais são as palavras masculinas e quais as femininas. É preciso aprender o gênero a que pertencem à medida que se aprendem as palavras.*

TESTE SEU FRANCÊS

Escreva *un* ou *une* de acordo com o gênero, antes de cada substantivo. Conte 10 pontos para cada resposta certa. Veja as respostas abaixo.

1. Voici _____ hôtel.

2. C'est _____ restaurant.

3. Voici _____ théâtre.

4. C'est _____ cinéma.

5. Ce n'est pas _____ musée.

6. Cest _____ statue de Napoléon.

7. Voici _____ banque.

8. C'est _____ taxi.

9. Voici _____ magasin.

10. Ce n'est pas _____ autobus.

Respostas: 1. un; 2. un; 3. un; 4. un; 5. un; 6. une; 7. une; 8. un; 9. un; 10. un.

Resultado: _____ %

passo 2 — O PRESENTE DOS VERBOS

Voici le verbe *être*:
Vuaci lê ve_r_b' ét_r_':
Eis o verbo ser:

Je suis français.
Jê sůí f_r_ãcé.
Eu sou francês.

Vous êtes américain.
Vu zét zame_r_iquê.
O senhor é americano.

Il est anglais.
Ilé tãglé.
Ele é inglês.

Sa femme est française.
Sa fám' é f_r_ãcéz'.
Sua mulher é francesa.

> *Gênero dos adjetivos*
> *Como em português, os adjetivos concordam em gênero e número com os substantivos a que se referem. Geralmente acrescenta-se um* e *ao masculino para formar o feminino.*
>
> | MASCULINO | FEMININO |
> |---|---|
> | français | française |
> | anglais | anglaise |
> | américain | américaine |

Nous sommes ici en visite.
Nu sóm' zici ẽ vizit'.
Estamos aqui em visita.

C'est très intéressant.
Cé tré zẽte̱ressã.
É muito interessante.

Où sont Monsieur et Madame Bernard?
U sõ Mẽssiẽ e Madám' Be̱rna̱r'?
Onde estão o senhor e a senhora Bernard?

Ils sont en voyage.
Il sõ tẽ vuaiáj'.
Eles estão viajando.

> *"Ser" ou "estar"* — être
> Assim se conjuga o verbo "ser" no presente do indicativo:
>
> | | |
> |---|---|
> | je suis | *eu sou/estou* |
> | tu es | *tu és/estás* |
> | il (elle) est | *ele (ela) é/está* |
> | nous sommes | *nós somos/estamos* |
> | vous êtes | *vós sois/estais* |
> | ils (elles) sont | *eles (elas) são/estão* |
>
> *Não esqueça:*
> na segunda pessoa do singular usa-se tu *quando há muita intimidade ou familiaridade e* vous *nas formas de polidez, com pessoas mais velhas, superiores ou em caso de relacionamento mais distante.*

Leurs enfants ne sont pas là.
Loe̱r' zẽfã nẽ sõ pá lá.
Os filhos deles não estão aqui.

> *Possessivos*
> *Os adjetivos possessivos recebem, como em português, o gênero e o número do objeto possuído e a pessoa de quem possui. Observe o esquema abaixo.*

POSSUIDOR	OBJETO POSSUÍDO		
	SINGULAR		PLURAL
PESSOA	MASC.	FEM.	MASC. E FEM.
1ª	mon	ma	mes
	meu	*minha*	*meus, minhas*
S 2ª	ton	ta	tes
	teu	*tua*	*teus, tuas*
3ª	son	sa	ses
	seu	*sua*	*seus, suas*
1ª	notre		nos
	nosso, nossa		*nossos, nossas*
P 2ª	votre		vos
	vosso, vossa		*vossos, vossas*
3ª	leur		leurs
	seu, sua		*seus, suas*

Où sont-ils?
U sõ til?
Onde estão eles?

Je ne sais pas.
Jěn' sé pá.
Eu não sei.

> *"Eu não sei"* — je ne sais pas
> *Esta expressão é apresentada aqui por ser extremamente útil. O verbo "saber"* (savoir) *aparecerá mais tarde.*

Et voilà le verbe *parler*.
E vualá lě verb' parlê.
E eis o verbo falar.

> **Parler**
> *Quando se procura um verbo no dicionário, ele aparece no infinitivo, como* parler *("falar"). A maioria dos infinitivos franceses termina em* er *(1.º grupo) e são conjugados como* parler. *Veja o presente do verbo* parler.

je parle	*eu falo*
tu parles	*tu falas*
il (elle) parle	*ele (ela) fala*
nous parlons	*nós falamos*
vous parlez	*vós falais*
ils (elles) parlent	*eles (elas) falam*

Je parle français.
Jě parl' frãcé.
Eu falo francês.

Parlez-vous anglais?
Parlê vu ãglé?
Você (o senhor) fala inglês?

Ma femme ne parle pas bien français.
Ma fám' ně parl' pá biě frãcé.
Minha mulher não fala bem francês.

> *Ordem inversa para perguntar* — **ne...pas** *para negar*
> *Para as perguntas, em geral, inverte-se a ordem sujeito — verbo:*
>   *Você fala francês?* = Parlez-vous français?
> *Para a forma negativa, necessitamos de duas partículas de negação,* ne *e* pas. *Com exceção dos casos especiais, a primeira vem antes do verbo, e a segunda o segue.*
>   *Eu não falo francês.* = Je *ne* parle *pas* français.

Nous parlons français avec nos amis français.
Nu parlõ frãcé avéc nozami frãcé.
Falamos francês com nossos amigos franceses.

Ils ne parlent pas anglais.
Il ně parl' pazãglé.
Eles não falam inglês.

Le verbe *venir*.
Lě verb' věnir.
O verbo vir.

Venir
Enquanto a maioria dos infinitivos termina em er, *como* parler, *outros terminam em* ir, re *e* oir. *Daremos o presente de muitos verbos no Passo 5, mas introduzimos* venir *aqui porque aparece com muita freqüência na conversação básica. Eis o presente do verbo* venir*:*
    je viens, tu viens, il (elle) vient, nous venons, vous venez, ils (elles) viennent

Je viens de Montréal.
Jẽ viẽ dẽ Mõreál.
Eu venho de Montreal.

D'où venez-vous?
Du vênê vu?
De onde você vem?

Est-ce que Bertrand vient avec nous?
Éss' quẽ Bertrā viẽtavéc nu?
Bertrand vem conosco?

> *Perguntas simples*
> Est-ce que... *é um modo conveniente de formar uma pergunta. Utilizando* est-ce que, *não há necessidade de inversão.*
>   Vous êtes italien. = *Você é italiano.*
>   Est-ce que vous êtes italien? = *Você é italiano?*
>   Êtes-vous italien? = *Você é italiano?*

Non, il ne vient pas avec nous.
Nõ, il nê viẽ pá zavéc nu.
Não, ele não vem conosco.

Nous venons de Californie.
Nu vênõ de Californi.
Nós vimos da Califórnia.

De quel pays viennent-ils?
Dě quél peí vién' til?
De que país eles vêm?

Présentations:
Prezĕtaciõ:
Apresentações:

— Monsieur Dumas, un ami américain,
Měssiě Dǔmá, œ̃nami amerikẽ,
Senhor Dumas, um amigo americano,

— Madame Latour.
Madám' Latur.
Senhora Latour.

— Bonjour, monsieur.
Bõjur, měssiě.
Bom dia, senhor.

— Enchanté, madame.
ẽchãté, madám'.
Muito prazer, senhora.

> *Polidez*
> Enchanté *é uma forma de polidez usada em apresentações. Quando um homem é apresentado a uma senhora, outra frase polida, mas bem mais formal, é* mes hommages, madame.

— Vous êtes américain, monsieur,
Vuzét zamerikẽ, měssiě,
O senhor é americano,

> *Em geral* monsieur, madame *e* mademoiselle *são mais usados em francês do que "senhor", "senhora" e "senhorita" em português. Esses três tratamentos precedem sempre o sobrenome, e não o nome.* Madame *também*

> *é usado de preferência a* mademoiselle *quando se trata de alguém que já passou da adolescência, e cujo estado civil nos é desconhecido.*

mais votre nom est français.
mé vótr' nõ é frãcé.
mas seu sobrenome é francês.

— Oui, mes parents sont français.
Uí, me parẽ sõ frãcé.
Sim, meus pais são franceses.

— Ah! C'est intéressant!
A! Cé tẽteressã!
Ah! Que interessante!

Et de quelle région viennent-ils?
E dẻ quél regiõ vién' til?
E eles vem de que região?

— Ils sont de Marseille.
Il sõ dẻ Marséii'e.
Eles são de Marselha.

Et vous, madame, êtes-vous parisienne?
E vu, madám', ét' vu parizién?
E a senhora, é parisiense?

— Oui, monsieur, je suis parisienne.
Uí, mẻssiê, jẻ sủí parizién.
Sim, senhor, eu sou parisiense.

— Parlez-vous anglais?
Parlê vu ãglé?
A senhora fala inglês?

— Un peu seulement. L'anglais est très difficile.
œ̃ pẻ sẻl'mẽ. L'ãglé é tré dificíl'.
Só um pouco. Inglês é muito difícil.

Mais vous, monsieur, vous parlez très bien français.
Mé vu, mě̤ssiě̤, vu par̲lê tr̲é biẽ fr̲ãcé.
Mas o senhor fala muito bem francês.

Votre accent est très bon.
Vótr̲acsẽ é tr̲é bõ.
Sua pronúncia é muito boa.

— Merci, madame. Vous êtes bien aimable.
Mer̲ci, madám'. Vuzét biẽnemábl'.
Obrigado. A senhora é muito gentil.

CONVERSAÇÃO: NO ESCRITÓRIO

M. Rollin vient de New York.
Měssiě Rolẽ viẽ dě Niú Iórc.
O senhor Rollin vem de Nova York.

Il est américain mais il parle aussi français.
Ilé tameriquẽ mézil parlossí frãcé.
Ele é americano mas fala também francês.

Il est dans un bureau à Paris, Legrand & Compagnie.
Ilé dãzœ̌ bůrô a Pari, Lěgrã e Cõpanhí.
Ele trabalha em um escritório em Paris, Legrand e Companhia.

Albert Rollin parle avec la secrétaire de Phillipe Legrand.
Albér Rolẽ parlavéc la sěcretér dě Filíp' Lěgrã.
Albert Rollin fala com a secretária de Phillipe Legrand.

M. ROLLIN:
Bonjour. Est-ce bien le bureau de M. Legrand?
Bõjur. Éss' biẽ lě bůrô dě Měssiě Lěgrã?
Bom dia. É o escritório do Sr. Legrand?

LA SECRÉTAIRE:
Oui, monsieur. Je suis sa secrétaire.
Uí, měssiě. Jě sůí sa sěcretér.
Sim, senhor. Eu sou sua secretária.

M. ROLLIN:
Je suis un ami de M. Legrand.
Jě sůí zœ̌namí dě Měssiě Lěgrã.
Sou um amigo do senhor Legrand.

Voici ma carte. Je viens de New York.
Vuací ma car̲t'. Jĕ viẽ dĕ Niú Ió̲rc.
Aqui está meu cartão. Eu venho de Nova York.

Et je suis ici de passage.
E jĕ sŭí zici dĕ passáj'.
E estou aqui de passagem.

Est-ce que M. Legrand est très occupé?
Éss' quê Mĕssiĕ Lĕg̲rã é tr̲é zocŭpê?
O senhor Legrand está muito ocupado?

LA SECRÉTAIRE:
Excusez-moi, monsieur...
Ecscŭzêmuá, mĕssiĕ...
Com licença, senhor...

(Elle parle au téléphone)
(Él' pár̲l'otelefón)
(Ela fala ao telefone)

M. Rollin est ici... un ami de New York.
Mĕssiĕ Rolẽ é tici... ẽnami dĕ Niú Ió̲rc.
O senhor Rollin está aqui... um amigo de Nova York.

Très bien... Tout de suite.
Tr̲é biẽ... Tud sŭit'.
Ótimo... Imediatamente.

M. Legrand est dans son bureau, monsieur.
Mĕssiĕ Lĕg̲rã é dã sõ bŭr̲ô, mĕssiĕ.
O senhor Legrand está em seu escritório, senhor.

Par ici, s'il vous plaît.
Pa̲r ici, sil vu plé.
Por aqui, por favor.

M. ROLLIN:
Merci, mademoiselle, vous êtes bien aimable.
Me̱rci, madmuazél', vu zét' biēnemábl'.
Obrigado, a senhorita é muito gentil.

LA SECRÉTAIRE:
Mais c'est un plaisir, monsieur.
Mé cé tœ plezi̱r, mèssiè.
É um prazer, senhor.

TESTE SEU FRANCÊS

Escreva na coluna da direita o número correspondente à coluna da esquerda. Conte 10 pontos para cada resposta correta. Veja as respostas abaixo.

1. Você fala inglês?   Nous sommes ici en visite.

2. Eu falo francês.   C'est très intéressant.

3. De onde você vem?   Par ici, s'il vous plaît.

4. Eles estão viajando.   De quel pays viennent-ils?

5. Estamos aqui em visita.   Vous êtes bien aimable.

6. Isso é muito interessante.   Je parle français.

7. Por aqui, por favor.   Parlez-vous anglais?

8. De que país você vem?   Ils sont en voyage.

9. O senhor é muito gentil.   Vous parlez très bien français.

10. O senhor fala francês muito bem.   D'où venez-vous?

Respostas: 5, 6, 7, 8, 9, 2, 1, 4, 10, 3

Resultado: _____ %

passo 3 — NÚMEROS — COMO USÁ-LOS

Les nombres de 1 à 10:
Le nõbr' dẻ õe a diz:
Os números, de 1 a 10:

> *Plural de* **le, la, l'** = **les**
> *O artigo definido plural ("os", "as") é* les *para ambos os gêneros:*
>
> le garçon — *o menino*
> les garçons — *os meninos*
>
> la femme — *a mulher*
> les femmes — *as mulheres*
>
> l'homme — *o homem*
> les hommes — *os homens*
>
> *O plural dos substantivos é geralmente formado acrescentando-se um* s *ao singular.*

1	2	3	4	5
un	deux	trois	quatre	cinq
õe	**dẻ**	**truá**	**catr**	**cẽc**

6	7	8	9	10
six	sept	huit	neuf	dix
siz	**sét**	**ůit**	**nẻf**	**diz**

de dix à seize:
dẻ diz a séz':
de 10 a 16:

11	12	13
onze	douze	treize
õz'	**duz'**	**tréz'**

14	15	16
quatorze	quinze	seize
catórz'	**quẽz'**	**séz'**

et ensuite
e ẽsůít'
e depois

17	18	19	20
dix-sept	dix-huit	dix-neuf	vingt
dissét	**dizůít**	**diznẽf**	**vẽ**

et après vingt:
e apré vẽ:
e depois de 20:

21	22	23	24
vingt et un	vingt deux	vingt-trois	vingt-quatre
vẽteœ̃	**vẽ dẽ**	**vẽ tru á**	**vẽ catr'**

25 et cetera, jusqu'à 30:
Vẽ cẽc etceterá, jůscá trẽt:
25, etc., até 30:

40	50
quarante	cinquante
carãt'	**cẽcãt**

60	70
soixante	soixante-dix
suassãt'	**suassãt'-diz**

"60 + 10" e "4 × 20"
Soixante-dix *é literalmente "sessenta-dez" e "setenta e um" será* soixante et onze, *depois* soixante-douze, *etc...* Quatre-vingt *é "quatro-vinte". Depois teremos* quatre-

vingt-un, quatre-vingt-deux, *etc. Chegando a noventa, teremos* quatre-vingt-dix, quatre-vingt-onze *(91),* quatre-vingt-douze, *etc. Bem matemático,* n'est-ce pas?
Atenção: de vinte até setenta, há sempre et *antes do número um:* vingt-et-un, trente-et-un, quarante-et-un, cinquante-et-un, soixante-et-un, soixante-et-onze.

71	72	73
soixante-et-onze	soixante-douze	soixante-treize
suassãte õz'	**suassãt' duz'**	**suassãt' t<u>r</u>éz'**

80	90
quatre-vingts	quatre-vingt-dix
cat<u>r</u> vẽ	**cat<u>r</u> vẽ diz**

91	92	93
quatre-vingt-onze	quatre-vingt-douze	quatre-vingt-treize, etc
cat<u>r</u> vẽ õz'	**cat<u>r</u>' vẽ duz'**	**cat<u>r</u>' vẽ t<u>r</u>éz' etceterá**

100	101	102	200	300
cent	cent un	cent deux, etc	deux-cents	trois-cents
cẽ	**cẽ õe**	**cẽ dẽ, etceterá**	**dẽ cẽ**	**t<u>r</u>uá cẽ**

1.000	100.000	1.000.000
mille	cent mille	un million
mil'	**cẽ mil'**	**õe miliõ'**

Les nombres sont très importants —
Le nõb<u>r</u>' sõ t<u>r</u>é zẽportã —
Os números são muito importantes —

Dans un magasin...
Dãz õe magazẽ...
Numa loja...

Un client: C'est combien?
õe cliẽ: Cé cõbiẽ?
Um cliente: Quanto é?

La vendeuse: Dix-sept francs vingt-cinq centimes.
La vẽdẽz: Dissét frã vẽ cẽc cẽ tim'.
A vendedora: Dezessete francos e vinte e cinco centavos.

Au téléphone...
O telefón'...
Ao telefone...

Une voix: Allo! C'est le 281-71-91?
ůn' vuá: Alô! Cé lẽ dẽ cẽ catr' vẽ õz', suassãte õz', catr' vẽ õz'?
Uma voz: Alô! É 281-7191?

Une voix qui répond: Non. Ici, c'est le 282-72-92.
ůn' vuá' qui repõ: Nõ. Ici cé lẽ dẽ cẽ catr' vẽ dẽ, suassãt duz, catr' vẽ duz.
Uma voz que responde: Não. Aqui é 282-7292.

La voix: Pardon. Excusez-moi!
La vuá: Pardõ. Ecscůzê muá!
A voz: Desculpe-me!

Pour les adresses...
Pur le zadréss'...
Para endereços...

— Quelle est votre adresse?
Quélé vótradréss'?
Qual é o seu endereço?

— 116, rue du Quatre Septembre.
Cẽ séz', rů' dů Catr Setẽbr'.
Rua Quatro de Setembro, número 116.

Pour savoir quelle heure il est...
Pur savuar quélóer ilé...
Para saber a hora...

Quelle heure est-il?
Quélóer' é til?
Que horas são?

Il est sept heures.
Ilé sét œr'.
São sete horas.

Il est sept heures cinq... sept heures dix.
Ilé sét œr' cẽc... sét œr diz.
São sete e cinco ... sete e dez.

Il est sept heures et quart.
Ilé sét œr e car.
São sete horas e um quarto.

Sept heures vingt... sept heures vingt-cinq...
Sét œr vẽ... sét œr vẽ cẽc...
Sete e vinte... sete e vinte e cinco...

Il est sept heures et demie.
Ilé sét œr e dmi.
São sete e meia.

Huit heures moins vingt cinq... moins vingt...
ûitóer muã vẽ cẽc... muã vẽ...
Vinte e cinco para as oito... vinte para as oito...

Il est huit heures moins le quart.
Ilé ûitóer muã lê car.
São quinze para as oito.

> ***Menos um quarto***
> *Em francês diz-se "8 horas menos vinte e cinco", "8 horas menos um quarto"* — huit heures moins vingt-cinq, huit heures moins le quart. *Observe que se usa o artigo definido* le *antes de* quart, *e não o indefinido* (un). *Só quando se diz "oito e quinze" e "oito e meia", usa-se* et (huit heures et quart, huit heures et demie). *Diz-se* huit heures cinq, huit heures vingt, huit heures dix, *etc., sem o* et.

Moins dix... moins cinq...
Muã diz... muã cẽc...
Dez para... cinco para...

Maintenant il est huit heures.
Mẽtnã ilé ůitóer'.
São oito horas agora.

Pour les rendez-vous:
Pur le rẽdevú:
Para marcar hora:

> **Rendez-vous**
> *Essa palavra se traduziria em português por "encontro", "hora marcada" ou "compromisso" — conforme o contexto em que é empregada:*
>   J'ai rendez-vous chez le dentiste.
>   *Tenho hora marcada no dentista.*
>
>   J'ai rendez-vous avec des amis.
>   *Tenho encontro com amigos.*
>
>   Je regrette, j'ai déjà un rendez-vous.
>   *Sinto muito, já tenho um compromisso.*

— C'est bien pour demain à six heures, n'est-ce pas?
 Cé biẽ pur dẽmẽ a sizóer, néss' pá?
 Então está combinado para amanhã às seis horas?

— Non, non, c'est à cinq heures et demie.
 Nõ, nõ, cé ta cẽc œr e dmi.
 Não, não, é às cinco e meia.

— Mais où?
 Mé u?
 Mas onde?

— Place de la Liberté, sous l'horloge.
 Plass'dẽ la Libertê, su lorlój'.
 Praça da Liberdade, embaixo do relógio.

Palavras francesas que você conhece
Você pode não ter percebido, mas já começou a aprender palavras de um estágio avançado. Algumas que terminam em té são as mesmas que em português terminam em "dade" e são femininas.

liberté	fraternité
éternité	faculté
université	possibilité
sincerité	unité
facilité	générosité

— D'accord. Mais si je ne suis pas là
Dacór. Mé si jěn' sůí pá lá
Está bem. Mas se eu não estiver lá

à cinq heures et demie précises,
a cẽ cóere dmi preciz',
às cinco e meia em ponto,

attendez-moi!
atẽdê muá!
espere por mim!

CONVERSAÇÃO: NA UNIVERSIDADE

Devant le Bureau de l'Administration de l'Université
Děvã lě bůrô dě ladministraciõ dě lůniversitê
Em frente ao Escritório de Administração da Universidade

un jeune homme parle avec une jeune fille:
ốe jěnóm parl' avécůn' jěn fii'e:
um rapaz fala com uma moça:

> **Fille — jeune fille**
> Fille *significa menina e filha, conforme o contexto. Quando falamos de uma adolescente jovem, dizemos* jeune-fille, *ou* jeune-personne.

PAUL:
Pól:
PAUL:

Bounjour, mademoiselle.
Bõjur, madmuazél'.
Bom dia, senhorita.

Vous êtes une nouvelle étudiante, n'est-ce pas?
Vuzét ůn' nuvéletůdiãt', néss' pá?
A senhorita é uma nova aluna, não é?

> *Feminino dos adjetivos*
> *A maioria dos adjetivos recebem um* e *no final para formar o feminino, mas alguns sofrem modificações maiores. As formas masculina e feminina de "novo", por exemplo, são* nouveau *e* nouvelle *respectivamente. Quan-*

do esse adjetivo é usado depois do substantivo, temos as formas neuf *e* neuve.

Le Pont Neuf — *"A Ponte Nova"*

HENRIETTE:
Ẽri̱ét':
HENRIETTE:
Oui, monsieur. Je suis en première année.
Uí, mẽssiê. Jẽ sůizẽ prẽmiéranê.
Sim, senhor. Eu estou no primeiro ano.

PAUL:
Je suis le secrétaire de l'Administration de l'Université.
Jẽ sůí lẽ sẽcretéṟ dẽ ladministṟaciõ dẽ lůniveṟsitê.
Eu sou o secretário da Administração da Universidade.

Je m'appelle Paul Balard.
Jẽ mapél' Pól Balaṟ.
Eu me chamo Paul Balard.

Et vous, mademoiselle...
E vu, madmuazél'...
E a senhorita...

comment vous appelez-vous?
comẽ vuzaplê vu?
como se chama?

HENRIETTE:
Moi, je m'appelle Henriette Leclerc.
Muá, jẽ mapél' Ẽri̱ét' Lẽcléṟ.
Eu me chamo Henriette Leclerc.

PAUL:
Quelle est votre adresse?
Quélé votṟadréss'?
Qual é seu endereço?

HENRIETTE:
76, rue de la République.
Suassãt' séz', rů dla República.
Rua da República, 76.

> *Rua e número*
> *Em geral, usa-se o número antes da rua, praça ou avenida.*

PAUL:
Quel est votre numéro de téléphone?
Quélé vótr nůmerô d'telefón'?
Qual é o número de seu telefone?

HENRIETTE:
C'est le 313-31-04.
Cé lě truacětréz', trẽte õe, zerô catr'.
É 313-3104.

> *Número de telefone*
> *Em português costumamos dizer os números, algarismo por algarismo; em francês, dizemos o número do prefixo como um todo, e os números sucessivos de dois em dois algarismos.*

PAUL:
Merci, mademoiselle.
Merci, madmuazél'.
Obrigado, senhorita.

Au revoir, et... à bientôt.
Ôr vuar e a biẽtô.
Até breve.

JACQUES:
Bonjour, Henriette.
Bõjur, Ẽriét.
Bom dia, Henriette.

Tiens! Ce type-là, c'est un de vos amis?
Tiẽ! Cẽ tip lá, cétœ̃ dvozamí?
Aquele rapaz é um de seus amigos?

Tiens!
Tiens! *é uma exclamação que tem muitos significados: pode exprimir surpresa, pode significar "veja", "eis aqui", "olhe lá", ou simplesmente não ter equivalente em português, como no caso acima.*

"Este" ou "aquele"
Como ce, cet, *e* cette *podem significar indiferentemente "este" ("esta"), "esse" ("essa") ou "aquele" ("aquela"), às vezes acrescenta-se* ci *ou* là *ao substantivo, quando se pretende maior precisão.*
  Cet homme-ci = *este homem*
  Cet homme-là = *aquele homem*

Type
Type *é a forma coloquial para "rapaz", "homem", "indivíduo".*

HENRIETTE:
Pourquoi pas?
Purquá pá?
E por que não?

C'est le secrétaire de l'Administration de l'Université.
Cé lẽ sẽcretér dẽ ladministraciõ dẽ l'ũniversitê.
Ele é o secretário da Administração da Universidade.

JACQUES:
Quelle blague!
Quél' blag'!
Que piada!

C'est un étudiant comme nous... Attention!
Cé tœ̃ etůdiã com' nu... Atẽciõ!
É um aluno como nós... Cuidado!

TESTE SEU FRANCÊS

Traduza estas frases para o português. Conte 10 pontos para cada tradução correta. Veja as respostas abaixo.

1. C'est combien? _____

2. Dix-sept francs vingt-cinq. _____

3. Quelle est votre adresse? _____

4. Quelle heure est-il? _____

5. Il est sept heures et quart. _____

6. Comment vous appelez-vous? _____

7. Quel est votre numéro de téléphone? _____

8. C'est un de vos amis? _____

9. Si je ne suis pas là, attendez-moi. _____

10. Quelle blague! _____

Respostas: 1. Quanto custa? 2. Dezessete francos e vinte e cinco centavos. 3. Qual é seu endereço? 4. Que horas são? 5. São sete horas e quinze minutos. 6. Como você se chama? 7. Qual é o número de seu telefone? 8. É um de seus amigos? 9. Se eu não estiver lá, espere-me. 10. Que piada!

Resultado: _____ %

passo 4 — LOCALIZAÇÃO DE OBJETOS E LUGARES

"Il y a..." est une expression très utile.
"Iliá..." é tůnecspressiõ tré zůtil'.
"Há..." é uma expressão muito útil.

Y a-t-il quelqu'un dans ce bureau?
I atil' quélcœ̃ dã cě bůrô?
Há alguém neste escritório?

Oui, il y a quelqu'un, il y a un directeur.
Uí, iliá quélcœ̃, iliá œ̃ directóer.
Sim, há alguém, há um diretor.

Combien de personnes y a-t-il dans cette pièce?
Cõbiẽ d persón' i atil' dã cét' piéss'?
Quantas pessoas há nesta sala?

> **Combien + de**
> Combien — *"quantos" ou "quanto"* — é seguido por de sem artigo.
>   *Quanto?* = Combien?
>   *Quanto dinheiro?* = Combien d'argent?
>   *Quantos livros?* = Combien de livres?
>   *Quantas pessoas?* = Combien de personnes?

Il y a trois personnes dans cette pièce.
Iliá truá persón' dã cét piéss'.
Há três pessoas nesta sala.

Combien de bureau y a-t-il ici?
Cõbiẽd' bůrô i atil ici?
Quantas escrivaninhas há aqui?

Bureau
A palavra bureau *pode significar tanto "escritório" como "escrivaninha".*

Il y a deux bureaux ici.
Iliá dě bů̱rô ici.
Há duas escrivaninhas aqui.

Sur chaque bureau il y a
Sů̱r chac' bů̱rô iliá
Sobre cada escrivaninha há

un téléphone et une machine à écrire.
ǒe telefón' e ǔn' machin' a ecri̱r'.
um telefone e uma máquina de escrever.

Combien de chaises y a-t-il dans cette pièce?
Cõbiẽ̱d' chéz' i atil dã cét' piés?
Quantas cadeiras há nesta sala?

> *Um* t *extra por razões de eufonia*
> *A expressão* il-y-a, *na forma interrogativa, é invertida* (y a-t-il) *e recebe um* t *por razões de pronúncia. Pode-se também utilizar* est-ce que, *eliminando a inversão. Nesse último caso, o que perde o* e *e recebe apóstrofo, também por razões de eufonia.*
> *Há...?* = Y a-t-il...?
> *Há...?* = Est-ce qu'il y a...?

Il y a quatre chaises dans cette pièce.
Iliá caṯr' chéz' dã cét' piéss'.
Há quatro cadeiras nesta sala.

Deux près de chaque bureau.
Dě p̱ré dě chac' bů̱rô.
Duas perto de cada escrivaninha.

Est-ce qu'il y a quelque chose sur le mur?
Éss' quiliá quélqůě chôz' sů̱r lě mů̱r?
Há alguma coisa na parede?

Oui, il y a quelque chose.
Uí, iliá quélquẽ chôz'.
Sim, há algo.

Qu'est-ce qu'il y a sur les mur?
Quéss' quiliá sûr le mûr?
O que é que há na parede?

> **Qu'est-ce qu'il y a**
> O interrogativo qu'est-ce que? *("o quê?") torna-se* qu'est-ce qu'il y a?, *significando "o que há?", e* qu'est-ce que c'est?, *significando "o que é?"*

Il y a une pendule et deux tableaux.
Iliá ůn' pēdůl' e dẽ tablô.
Há um relógio e dois quadros.

Quelle heure est-il? Il est sept heures trente.
Quélóer é til? Ilé sétóer trẽt'.
Que horas são? São sete e meia.

Est-ce qu'il y a quelqu'un dans les bureaux?
Éss' quiliá quélcœ̃ dã le bůrô?
Há alguém nos escritórios?

Non, il n'y a personne.
Nõ, il niá person'.
Não, não há ninguém.

> *Alguém — ninguém*
> Personne, *utilizada na forma negativa, significa "ninguém". Se não há negação na frase, significa "pessoa".* Quelqu'un *("alguém") é a palavra que se opõe a* personne *("ninguém").*

Les bureaux sont fermés.
Le bůrô sõ fermê.
Os escritórios estão fechados.

Est-ce qu'il y a quelque chose sur cette table?
Éss' quiliá quelquê chôz' sȗr cét' tabl'?
Há alguma coisa sobre essa mesa?

Oui, il y a quelque chose.
Uí, iliá quelquê chôz'.
Sim, há alguma coisa.

Qu'est-ce qu'il y a?
Quéss' quiliá?
O que é?

Il y a des fleurs, des fruits, du pain, du fromage,
Iliá de flœr, de frȗi, dů pẽ, dů fromáj,
Há flores, frutas, pão, queijo,

et une bouteille de vin.
e ůn' butéii'e dě vẽ.
e uma garrafa de vinho.

(Et la plume de ma tante).
(E la plům' dě ma tãt).
(E a caneta de minha tia).

> *Partitivos — du, de la, de l', des*
> *Em francês, quando se indicam quantidades não determinadas, ou parte de um todo, usam-se os artigos partitivos, que não são traduzidos em português.*
>   du fromage = *queijo*
>   des fruits = *frutas*
>   de la viande = *carne*
>   de l'eau = *água*
> *Ou podem, às vezes, ser traduzidos por "um pouco de" ou "um pedaço de", conforme o contexto.*

Est-ce qu'il y a quelque chose sur la chaise?
Éss' quiliá quélquê chôz' sȗr la chéz'?
Há alguma coisa em cima da cadeira?

Non, il n'y a rien — absolument rien.
Nõ, il niá ri̲ẽ — absolůmẽ ri̲ẽ.
Não, não há nada — absolutamente nada.

> *"Algo"* — *"alguma coisa"*
> Quelque chose *significa "algo" ou "alguma coisa" e seu oposto é* rien, *"nada". Quando se usa* rien *numa frase, é preciso usar o* ne, *já que em francês há sempre duas partículas negativas.*
>   *Há algo?*
>   Y a-t-il quelque chose?
>
>   *Não há nada.*
>   Il n'y a rien.

"Yl y a" est très utile pour poser des questions,
"Iliá" é tr̲é zůtil pur̲ pozê de questiõ,
"Há" é muito útil para fazer perguntas,

en voyage, par exemple:
ẽ vuaiáj', par̲ egzẽpl:
em viagem, por exemplo:

  Pardon, monsieur, savez-vous...
  Par̲dõ, mės̀siė̀, savê vu...
  Por favor, o senhor sabe...

  ... où il y a un bon restaurant?
  ... u iliá œ̃ bõ r̲estor̲ã?
  ... onde há um bom restaurante?

  ... où il y a une pharmacie?
  ... u iliá ůn' far̲maci?
  ... onde há uma farmácia?

  ... où il y a une cabine téléphonique?
  ... u iliá ůn' cabin' telefoníc'?
  ... onde há uma cabine telefônica?

... où il y a une boîte aux lettres?
... u iliá ůn' buat' o létr'?
... onde há uma caixa de correio?

Dans un hôtel: Y a-t-il une chambre libre?
Dã zõenotél: I atil ůn' chãbr' libr'?
Em um hotel: Há um quarto livre?

Dans un restaurant: Y a-t-il une table libre?
Dã zõe restorã: I atil ůn' tabl' libr'?
Em um restaurante: Há uma mesa livre?

Dans les affaires:
Dã lezafér':
Nos negócios:

> Le directeur: — Est-ce qu'il y a quelque chose d'important dans le courrier?
> **Lě directóer: — Éss' quiliá quelquě chôz' děportã dã lě curiê?**
> *O diretor: — Há alguma coisa de importante na correspondência?*

La secrétaire: — Non. Il n'y a rien d'important.
La sěcretér: — Nõ. Il ni a riẽ děportã.
A secretária: — Não. Não há nada de importante.

> **Quelque chose d'important**
> *Há outras expressões úteis com* quelque chose *e de:*
>   quelque chose d'intéressant = *algo interessante*
>   quelque chose d'amusant = *algo divertido*
>   quelque chose de différent = *algo diferente*

À la maison:
A la mezõ:
Em casa:

> Le fils: — Qu'est-ce qu'il y a à manger?
> **Lě fiss: — Quéss' quiliá a mãjê?**
> *O filho: — O que há para comer?*

La mère: — Il y a du pain, du beurre et du jambon dans la cuisine.
La mér: — Iliá dů pẽ, dů bœr̬ et dů jãbõ dã la cůizín.
A mãe: — Há pão, manteiga e presunto na cozinha.

Le mari: — Est-ce qu'il y a quelque chose à boire?
Lẻ mari: — Éss' quiliá quelquẻ chôz' a buar̬'?
O marido: — Há alguma coisa para beber?

La femme: — Oui, de la bière et du vin.
La fám': — Uí, dẻ la biér̬ e dů vẽ.
A esposa: — Sim, cerveja e vinho.

Entre amis:
ẽtrami:
Entre amigos:

— Qu'est-ce qu'il y a de nouveau?
Quéss' quiliá dẻ nuvô?
O que há de novo?

— Oh, il n'y a rien de particulier.
O, il ni a riẽd' par̬ticůliê.
Oh! Não há nada de especial.

CONVERSAÇÃO: RECEBENDO CORRESPONDÊNCIA E RECADOS

À la réception de l'hôtel.
A la recepciõ dě lotél.
Na recepção do hotel.

UN CLIENT:
œ̃ cliẽ:
UM HÓSPEDE:
Ma clé, s'il vous plaît.
Ma clê, sil vu plé.
Minha chave, por favor.

Est-ce qu'il y a quelque chose pour moi?
Éss' quiliá quelquě chôz' pur muá?
Há alguma coisa para mim?

L'EMPLOYÉ:
L'ẽpluaiê:
O RECEPCIONISTA:
Oui, monsieur. Il y a deux lettres,
Uí, měssiě. Iliá dě létr',
Sim, senhor. Há duas cartas,

une carte postale et un assez gross paquet.
ůn' cart' postal' e œ̃nassê gro paquê.
um cartão postal e um embrulho bastante grande.

Une des lettres vient d'Italie et l'autre d'Espagne.
ůn' de létr' viẽ ditalí e lôtr' despánh'.
Uma das cartas vem da Itália e a outra da Espanha.

Les timbres sont très beaux.
Le tẽbre sõ tré bô.
Os selos são muito bonitos.

LE CLIENTE:
Oui, c'est vrai. Pardon. Je suis un peu pressé. Il n'y a rien d'autre?
Uí, cé vré. Pardõ, jě sŭizœ̈ pě prěssê. Il ni a riẽ dôtr'?
Sim, é verdade. Desculpe. Estou um pouco apressado. Há mais alguma coisa?

L'EMPLOYÉ:
Si. Il y a aussi une lettre recommandée.
Si. Iliá ossi ŭn' létr' rěcomãdê.
Sim. Há uma carta registrada.

> Si *é uma resposta afirmativa a uma pergunta negativa.*
> Il y a autre chose? Oui.
> *Há outra coisa? Sim.*
>
> Il n'y a rien d'autre? Si.
> *Não há nada mais? Sim.*

Votre signature... ici, s'il vous plaît.
Vótr' sinhatŭr... ici, sil vu plé.
Sua assinatura... aqui, por favor.

Beaucoup de courrier aujourd'hui, n'est-ce pas?
Bocud' curiê ojurdŭí, néss' pá?
Muita correspondência hoje, não é?

> *Quando um advérbio de quantidade tal como* beaucoup *("muito") ou* peu *("pouco") aparece antes de um substantivo,* du, de la, de l' *ou* des *torna-se* de *ou* d'. *O mesmo acontece na forma negativa.*
> beaucoup d'argent = *muito dinheiro*
> peu de courrier = *pouca correspondência*
> pas de messages = *nenhum recado*

LE CLIENT:
　　Oui, assez. Merci.
　　Uí, assê. Me̱rci.
　　Sim, bastante. Obrigado.

L'EMPLOYÉ:
　　Oh, pardon, monsieur. Il y a aussi
　　O, pa̱rdõ, mĕssiĕ. Iliá ossi
　　Oh, desculpe, senhor. Há também

　　deux messages téléphoniques. Les voici.
　　dĕ messáj' telefoníc'. Le vuaci.
　　dois recados telefônicos. Aqui estão.

LE CLIENT:
　　Merci bien. Et maintenant c'est tout?
　　Me̱rci biĕ̃. E mĕ̃tnã cé tu?
　　Muito obrigado. E agora, é só isso?

L'EMPLOYÉ:
　　Oui. C'est tout. Il n'y a rien d'autre.
　　Uí. Cé tu. Il ni a ṟiĕ̃ dôtṟ'.
　　Sim. É tudo. Não há mais nada.

TESTE SEU FRANCÊS

Traduza estas sentenças para o português. Conte 10 pontos para cada resposta correta. Veja as respostas abaixo.

1. Qu'est-ce qu'il y a à manger? _____

2. Il y a du pain, du beurre et du jambon. _____

3. Est-ce qu'il y a quelque chose à boire? _____

4. Oui, de la bière et du vin. _____

5. Qu'est-ce qu'il y a de nouveau? _____

6. Oh, il n'y a rien de particulier. _____

7. Ma clé, s'il vous plaît. _____

8. Est-ce qu'il y a quelque chose pour moi? _____

9. Personne n'est là. _____

10. Il n'y a rien. _____

Respostas: 1. O que há para comer? 2. Há pão, manteiga e presunto. 3. Há algo para beber? 4. Sim, cerveja e vinho. 5. O que há de novo? 6. Oh, não há nada de especial. 7. Minha chave, por favor. 8. Há alguma coisa para mim? 9. Ninguém está lá. 10. Não há nada.

Resultado: _____ %

passo 5 — USO CORRETO DAS FORMAS VERBAIS

Les terminaisons des verbes changent avec le sujet.
Le terminesõ de ve̱rb' chãj' avéc lẻ sůjé.
As desinências verbais mudam com o sujeito.

Par exemple, avec *je* la terminaison du verbe est souvent -*e*.
Pa̱regzẽpl', avéc jẻ la te̱rminesõ dů ve̱rb' é suvẽ -ẻ.
Por exemplo, com je *a desinência verbal é freqüentemente* -e.

> *Aprenda francês através do francês*
> *Na primeira parte de cada passo, usamos francês para explicar verbos ou construções. Embora haja mais detalhes nas explicações em português, o fato de tê-las visto antes em francês torna a abordagem mais direta e natural. Assim, você está aprendendo francês através do uso, como fazem as crianças ao aprender sua língua materna.*

Je parle un peu français.
Jẻ pa̱rl' œ̃ pẻ fṟãcé.
Eu falo um pouco de francês.

Je visite la France.
Jẻ visit la F̱rãss'.
Estou percorrendo a França.

J'habite à l'Hôtel Napoléon.
Jabít' a lotél Napoleõ.
Eu moro no Hotel Napoléon.

Je m'appelle Rose Vidal.
Jẻ mapél' Ṟôz' Vidal'.
Eu me chamo Rose Vidal.

Quelquefois, avec *je* la terminaison est -*s*:
Quélquêfuá, avéc jê la terminezõ é éss':
Às vezes, com je a desinência é -s:

> Je suis dans une cabine téléphonique.
> **Jě sůí dãzůn' cabin' telefoníc'.**
> *Estou em uma cabine telefônica.*

> Je viens des États-Unis.
> **Jě viẽ dezetázůni.**
> *Eu venho dos Estados Unidos.*

> Je vais au marché.
> **Jě vézo marchê.**
> *Vou ao mercado.*

> Je reviens tout de suite.
> **Jě rěviẽ tud' sůit'.**
> *Eu volto já.*

Il y a une exception, *j'ai*.
Iliá ůnecsepciõ, jé.
Há uma exceção, eu tenho.

> J'ai rendez-vous.
> **Jé rẽdevú.**
> *Tenho um compromisso.*

Avec *vous* la terminaison est -*ez*:
Avéc vu la terminezõ é -ê zéd:
Com vous a desinência é -ez:

> Parlez-vous anglais?
> **Parlê vu ãglé?**
> *Você fala inglês?*

> ***Nunca é demais lembrar***
> Vous, *2.ª pessoa do plural, é usado também no singular, para tratamento mais formal.*

Portanto:
Parlez-vous anglais?
Você fala inglês?
O senhor fala inglês?
A senhora fala inglês?
Vocês falam inglês?
Os senhores falam inglês?
As senhoras falam inglês?

Est-ce que vous me comprenez?
Éss'quể vum' cõpr̲ểnê?
Você me entende?

Attendez un moment.
Atễdê ỡé momễ.
Espere um momento.

Ordens
A desinência do presente para vous *é freqüentemente* ez.
O imperativo, forma usada para ordens, tem a mesma desinência. A diferença é que, no imperativo, o sujeito desaparece.

Você espera = Vous attendez
Vocês esperam = Vous attendez

Espere! = Attendez!
Esperem! = Attendez!
Por uma questão de cortesia, não esqueça de acrescentar s'il vous plaît, *quando usar o imperativo.*

Mettez ça là.
Metê ça lá.
Coloque isso aí.

À quelle heure finissez-vous?
A quélóer̲ finissê vu?
A que horas você termina?

Venez avec moi!
Vĕnêzavéc muá!
Venha comigo!

Où allez-vous?
U alê vu?
Aonde você vai?

Comment allez-vous?
Comĕtalê vu?
Como vai?

> **Comment allez-vous**
> Comment allez-vous? *é a forma para "como vai você?"*
> *Usa-se também* comment ça va?, *em linguagem mais coloquial.*

Où habitez-vous?
U abitê vu?
Onde você mora?

Avez-vous l'heure? — Avez-vous le temps?
Avê vu lóer? — Avê vul' tĕ?
Você tem horas? — Você tem tempo?

Avez-vous une cigarette? — Avez-vous une allumette?
Avê vu ůn' cigarét'? — Avê vu ůnalůmét?
Você tem cigarro? — Você tem um fósforo?

Il y a quelques exceptions: *vous êtes, vous faites, vous dites.*
Iliá quélquĕ zecsepciõ: vuzét', vu fét', vu dit'.
Há algumas exceções: vous êtes, vous faites, vous dites.

Où êtes-vous?
U ét' vu?
Onde você está?

Qu'est-ce que vous faites?
Quéss' quể vu fét'?
O que você faz?
O que você está fazendo?

> *Ação habitual, verdade genérica, ação em curso*
> *O presente do indicativo é usado, em geral, para exprimir uma ação habitual, ou uma verdade genérica. Às vezes, é usado também para uma ação em curso, ou seja, o verdadeiro presente. Para esse último caso, é mais usada a expressão être en train de.*
> Je parle français.
> *Eu falo francês.*
> *(verdade genérica, ou ação habitual)*
>
> Je suis en train de parler français.
> *Eu estou falando francês.*
> *(ação em curso, presente verdadeiro)*

Dites-moi, s'il vous plaît...
Dit' muá, sil vu plé...
Diga-me, por favor...

Avec *nous* la terminaison est *ons*.
Avéc nu la terminezõ é o én éss'.
Com nous a desinência é ons.

Que faisons-nous aujourd'hui?
Quể fezõ nu ojurdűi?
O que vamos fazer hoje?

> *Observe*
> *O presente é às vezes usado com o sentido de um futuro próximo.*
> Que faisons-nous aujourd'hui?
> *O que vamos fazer hoje?*
>
> **Que e qu'est-ce que**
> *Quando* que *é usado como objeto, sua forma pode ser*

que *ou* qu'est-ce que. *No segundo caso, não há necessidade de inverter a ordem sujeito — verbo.*
Que faites-vous?
Qu'est-ce que vous faites?

Nous allons à la campagne.
Nuzalõ zala cãpánh'.
Vamos ao campo.

Nous avons une nouvelle voiture.
Nuzavõ zůn' nuvél' vuatu̱r.
Temos um automóvel novo.

Prenons la route de Versailles.
Prěnõ la ru̱t' dě Ve̱rsáii'e.
Vamos tomar a estrada de Versalhes.

Où déjeunons-nous?
U dejěnõ nu?
Onde vamos almoçar?

Nous revenons à six heures.
Nu ře̱věnõ à sizóer.
Vamos voltar às seis horas.

Nous dînons en ville.
Nu dinõ ẽ vil'.
Vamos jantar na cidade.

Il y a une exception: "Où sommes-nous?"
Iliá ůnecsepciõ: "U sóm' nu?"
Há uma exceção: "Onde estamos?"

Avec *il*, *elle* ou *on* la terminaison est *e* et quelquefois *t* ou *d*:
Avéc il', él' u õ la te̱rminezõ é e̱ e quelquěfuá te u de:
Com ele, ela ou a gente a desinência é e e às vezes t ou d:

> **On**
> On *pode significar "a gente", ou expressar um sujeito indeterminado. No primeiro caso, pode ser substituído*

por nous, *se mudarmos o verbo da 3.ª pessoa do singular para a 1.ª pessoa do plural. No segundo, pode ser substituído por* quelqu'un.

On va au cinéma.
Nós vamos ao cinema.
A gente vai ao cinema.
(Nous allons au cinéma.)

On vous demande au téléphone.
Alguém o chama ao telefone.
(Quelqu'un vous demande au téléphone.)

À quelle heure commence le concert?
A quéló__er__ comĕss' lĕ cõcér?
A que horas começa o concerto?

À quelle heure finit-il?
A quéló__er__ finitil'?
A que horas ele termina?

La banque ouvre à neuf heures.
La bãc' uvr__'__ a něvóer.
O banco abre às nove horas.

Elle ferme à quatre heures.
Él fé__r__m' a catróer.
Ele fecha às quatro horas.

Est-ce qu'on passe à droite ou à gauche?
Éss' cõ pass' a d__r__uat' u a goch'?
Vamos pela direita ou pela esquerda?

Il part pour Londres.
Il pa__r__ pu__r__ Lõdr'.
Ele parte para Londres.

Elle est en voyage.
Él étẽ vuaiáj'.
Ela está viajando.

Elle ne prend pas le train.
Él nê prẽ pal' trẽ.
Ela não vai tomar o trem.

Quand part-on?
Cã paṟtõ?
Quando partimos?

Qui sait?
Qui sé?
Quem vai saber?

Des exceptions: "il (elle) va", "il (elle) a".
De zecsepciõ: "il (él') va", "il (él') a".
Exceções: "ele (ela) vai", "ele (ela) tem".

Elle va au marché: elle ne va pas au restaurant.
Él va o maṟchê: él nê va pa zoṟestorã.
Ela vai ao mercado: ela não vai ao restaurante.

Il a une affaire intéressante et il n'a pas de difficultés.
Ila ủn' aféṟ ẽteṟessãt e il' na pád' dificůltê.
Ele tem um negócio interessante e não tem dificuldades.

Où va-t-on?
U vatõ?
Aonde vamos?

Au pluriel, avec *ils* ou *elles*, la terminaison est *ent*:
O plůṟiél, avéc il' u él', la teṟminezõ é ẽ én te:
No plural, com eles ou elas, a desinência é ent:

Les Robin visitent Paris.
Le Ṟobẽ vizít' Paṟi.
Os Robin visitam Paris.

Liaison

A desinência ent *da terceira pessoa do plural, no presente, é geralmente muda, como se pode ver pela linha de pronúncia. Contudo, o t é freqüentemente pronunciado em* liaison *(ligação) quando a palavra seguinte começa por vogal.*

Ils ne comprennent pas bien le français.
Il nĕ cõpr̰én' pá biẽ lĕ fr̰ãcé.
Eles não entendem bem francês.

Mais ils prennent des leçons,
Mézil pr̰én' de lĕçõ,
Mas eles estão tendo aulas,

et ils commencent à comprendre.
e il' comẽss' ta cõpr̰ẽdr̰'.
e estão começando a entender.

Renée et Marcelle habitent chez leurs parents.
R̰ĕnê e Mar̰cél' abit' chê lœr par̰ẽ.
Renée e Marcelle moram com os pais.

Elles travaillent dans une librairie,
Él' tr̰aváii'e dã zůn' libr̰ér̰í,
Elas trabalham em uma livraria,

et elles sortent beaucoup.
e él' sór̰t' bocú.
e elas saem muito.

> **Verbos com o infinito terminado em er**
> *Já que a maior parte dos verbos regulares termina em* er *no infinitivo, para ter a forma do presente basta consultar o verbo* parler *no Passo 2. Outros verbos, com infinitivo em* ir, re *e* oir, *serão mais bem estudados no Passo 8.*

Il y a quelques exceptions comme *vont, sont, ont, font.*
Iliá quélczecsepciõ cóm' võ, sõ, õ, fõ.
Há algumas exceções como vão, são, têm, fazem.

Où vont ces gens-là?
U võ ce jē lá?
Aonde vão aquelas pessoas?

Ce sont des touristes.
Cě sõ de tur̲ist'.
São turistas.

Ils ont des appareils photographiques.
Il zõ de zapar̲éi' fotog̲rafíc'.
Eles têm máquinas fotográficas.

Ils font des photos.
Il fõ de fotô.
Eles estão tirando fotografias.

Ils vont au Musée du Louvre.
Il võ tô Můzê dů Luvr̲'.
Eles vão ao Museu do Louvre.

CONVERSAÇÃO: UM CONVITE PARA O CINEMA

— Bonjour, mes jolies. Où allez-vous donc?
Bõjur, me joli. U alê vu dõ?
Bom dia, belezas. Aonde vocês vão?

> *Palavras de ligação*
> *Algumas palavras, como* donc, alors, ensuite, *são constantemente usadas na conversação. Todas significam então, empregadas para enfatizar ou como transição para o assunto seguinte.* Donc *pode ser traduzido de diversas maneiras: "portanto", "assim", "logo", "na verdade".* Alors, *além de significar* então, *pode mostrar uma reflexão, uma dúvida na escolha da frase, que seria traduzida em português por "bem...", "bom..." ou "então..."*

— Nous allons au cinéma.
Nu zalõ zo cinemá.
Nós vamos ao cinema.

— A quel cinéma?
A quél' cinemá?
A que cinema?

— On va au Richelieu.
Õ vá ô Richëliê.
Vamos ao Richelieu.

> **On**
> *Como já foi explicado,* on *pode significar* nous *ou* quelqu'un, *ou mesmo ser usado no sentido de sujeito indefinido.*
> on dit = *diz-se, nós dizemos, a gente diz*

on part = *vamos embora, a gente vai embora, as pessoas estão indo embora*
on joue = *joga-se, a gente joga, nós jogamos*
on parle français = *fala-se francês, nós falamos francês, a gente fala francês*

A forma on *é tão importante, que se você deseja falar francês na França imediatamente, pode começar a usá-la enquanto estiver aprendendo as outras. O significado pode ser entendido pelo contexto, embora haja muita variação.* On *aparece em todo tipo de conversação.*

— Quel film joue-t-on?
Quél film ju' tõ?
Que filme está passando?

— "Intrigue", un nouveau film de Danièle Darasse.
"ẽtrig", œ̃ nuvô film dě Daniél' Daráss'.
"Intrigue", um novo filme de Danièle Darasse.

— On dit qu'il est très amusant.
Õ di quilé trézamůsã.
Dizem que é muito divertido.

— Vous ne venez pas avec nous?
Vun' věnê pásavéc nu?
Você não vem conosco?

— Je ne sais pas si j'ai le temps.
Jěn' sé pá si jél' tẽ.
Não sei se tenho tempo.

Quand commence le film?
Cã comẽss' lě film?
Quando começa o filme?

— Il commence bientôt, à huit heures et demie.
Il comẽss' biẽtô, a ůitóer e dmi.
Começa logo mais, às oito e meia.

— Et savez-vous à quelle heure il finit?
E savê vu a quélóer il' fini?
E vocês sabem a que horas ele termina?

— Je crois qu'il finit à dix heures et demie.
Jě cruá quil fini a dizóer e dmi.
Eu acho que ele termina às dez e meia.

— Ça n'est pas trop tard. Alors j'ai le temps.
Ça né pa tro tar. Alór jél' tẽ.
Não é muito tarde. Então, eu tenho tempo.

Je vous accompagne... et j'achète les billets.
Jě vuzacõpánh'... e jachét' le bii'ê.
Eu acompanho vocês... e vou comprar as entradas.

— Oh, ça c'est gentil!
O, ça cé jětil!
É muita gentileza!

Mais ce n'est pas la peine.
Mé cě né pá la pén'.
Mas não é necessário.

Chacun paie sa place.
Chacœ̌ péi sa plass'.
Cada um paga sua entrada.

> **Chacun e chacune**
> *Como há um rapaz entre as garotas, usa-se* chacun, *que é a forma masculina.*

TESTE SEU FRANCÊS

Preencha com as formas verbais corretas. Conte 10 pontos para cada resposta certa. Veja as respostas a seguir.

1. Estou visitando a França.
   Je _____ la France.

2. O que você está fazendo?
   Qu'est-ce que vous _____ ?

3. Temos um carro novo.
   Nous _____ une nouvelle voiture.

4. O banco abre às nove horas.
   La banque _____ à neuf heures.

5. Ele fecha às quatro horas.
   Elle _____ à quatre heures.

6. Eles vão ao Museu do Louvre.
   Ils _____ au Musée du Louvre.

7. Nós vamos ao cinema.
   Nous _____ au cinéma.

8. Vamos pegar a estrada de Versalhes.
   _____ la route de Versailles.

9. Venha comigo.
   _____ avec moi.

10. Onde você mora?
    Où _____ vous?

Respostas: 1. visite; 2. faites; 3. avons; 4. ouvre; 5. ferme; 6. vont; 7. allons; 8. prenons; 9. venez; 10. habitez.

Resultado: _____ %

passo 6 — RELAÇÕES DE PARENTESCO

Une famille
ůn' famii'e
Uma família

Le mari et la femme
Lê ma<u>r</u>i e la fám'
O marido e a mulher

Les parents et les enfants
Le pa<u>r</u>ẽ e lezẽfã
Os pais e os filhos

Le père et le fils
Lê pé<u>r</u> e lê fis
O pai e o filho

La mère et la fille
La mé<u>r</u> e la fii'e
A mãe e a filha

Fils
A palavra fils ("filho") tem s também no singular, para não ser confundida com fil ("linha").

Le frère et la soeur
Lê f<u>r</u>é<u>r</u> e la sœ<u>r</u>
O irmão e a irmã

Le grand-père et sa petite fille
Lê grã pé<u>r</u> e sa ptit' fii'e
O avô e sua neta

La grand-mère et son petit-fils
La grã mé<u>r</u> e son pti fis
A avó e seu neto

M. André Lafont est un homme d'affaires.
Mèssiê Ãd<u>r</u>ê Lafõ é tœnóm' dafé<u>r</u>'.
O senhor André Lafont é um homem de negócios.

Il a un bureau à Paris.
Ila œ̃ bů<u>r</u>ô a Pa<u>r</u>i.
Ele tem um escritório em Paris.

Les Lafont ont deux enfants.
Le Lafõ õ dě zẽfã.
Os Lafont têm dois filhos.

> ***"Ter"***
> *O verbo* avoir *("ter") forma o presente da seguinte maneira:*
> j'ai, tu as, il (elle) a, nous avons, vous avez, ils (elles) ont

Leur fils, Guillaume, est étudiant.
Lóer fis, Gůii'om', é tetůdiã.
O filho deles, Guillaume, é estudante.

Il est à l'Ecole Centrale.
Ilé talecól' Cẽtral'.
Ele está na Escola Central.

Marie-Louise, sa soeur,
Mari Luiz', sa sœr,
Marie-Louise, sua irmã,

fait ses études à la Sorbonne.
fé sezetůd' a la Sorbón'
está estudando na Sorbonne.

> **Faire** *("fazer")*
> *Presente:* je fais, tu fais, il (elle) fait, nous faisons, vous faites, ils (elles) font

Elle est fiancée. Son fiancé est avocat.
Élé fiãcê. Sõ fiãcê é tavocá.
Ela é noiva. Seu noivo é advogado.

Le père de M. Lafont, M. George Lafont,
Lě pér dě měssiê Lafõ, měssiê Jórj' Lafõ,
O pai do Sr. Lafont, Sr. George Lafont,

grand-père de Guillaume et de Marie-Louise,
grã pér dě Gůii'om' e dě Mari Luiz',
avô de Guillaume e de Marie-Louise,

est en retraite.
é tẽ rětrét'.
é aposentado.

C'est un ancien officier de marine.
Cé tõenãciẽ oficiê dě marin'.
Ele é um antigo oficial da marinha.

> **De**
> De *é freqüentemente usado como descritivo.*
> un homme d'affaires = *um homem de negócios*
> un officier de marine = *um oficial da marinha*

Souvent, dans une famille on a aussi
Suvẽ, dã zůn' famii'e oná ossi
Freqüentemente, em uma família temos também

des oncles et des tantes,
de zõcl' e de tãt',
tios e tias,

des neveux et des nièces,
de něvê e de niéss',
sobrinhos e sobrinhas,

des cousins et des cousines.
de cuzẽ e de cuzin'.
primos e primas.

> *Não esquecer* **des**
> *Lembre-se de que os substantivos raramente são usados sem artigo. No caso de tios, tias, primos, etc., estaremos quantificando, embora a quantidade não seja definida. Assim, usa-se* des *(artigo partitivo), que não existe em português.*

Dans une famille on a généralement
Dãzůn' famii'e oná general'mẽ
Em uma família, geralmente temos

un beau-père et une belle-mère,
œ̃ bôpér e ůn' bél'mér,
um sogro e uma sogra,

un gendre (beau-fils) et une belle-fille,
œ̃ gẽdr' (bôfis) e ůn' bél' fii'e,
um genro e uma nora,

un beau-frère et une belle-soeur.
œ̃ bô frér e ůn' bél' sœr.
um cunhado e uma cunhada.

> **Toujours la politesse**
> *Para os parentes por casamento, usa-se o adjetivo* beau *("belo") para o masculino e* belle *("bela") para o feminino. Este é um exemplo da* politesse française.

CONVERSAÇÃO: FALANDO SOBRE UMA FAMÍLIA

— Est-ce que vous êtes mariée?
Éss' quê vuzét' mariê?
Você é casada?

— Oui, mon mari est là-bas.
Uí, mõ mari é lá bá.
Sim, meu marido está ali.

— Celui qui a une barbe?
Cêlûi qui a ûn' barb'?
Aquele que tem barba?

> *"Este", "esse", "aquele"*
> Celui *(masc. sing.)* ceux *(masc. pl.)*
> Celle *(fem. sing.)* celles *(fem. pl.)*
> *são pronomes demonstrativos. Como não definem exatamente a diferença entre o que está mais próximo ("esse") e o que está mais afastado ("aquele"), acrescentam-se, às vezes, as formas* ci *e* là *para identificação mais exata. Isso ocorre sobretudo quando dois objetos ou pessoas são designados na mesma frase, com o objetivo de mostrar a diferença de distância.* Ceci *(isto) e* cela *(aquilo) são formas abreviadas, que não especificam o gênero, usadas para objetos.* Ça *é uma forma familiar que pode substituir* ceci *ou* cela.

— Non, l'autre, celui qui a une moustache.
Nõ, lotr', cêlûi qui a ûn' mustách'.
Não, o outro, aquele que tem bigode.

— Avez-vous des enfants?
Avê vu dezẽfã?
Vocês têm filhos?

— Oui, nous en avons quatre, trois fils et une fille.
Uí, nuzẽnavõ catr', truá fis e ůn' fii'e.
Sim, temos quatro, três filhos e uma filha.

> **En** — *palavra-chave*
> En *é uma palavra muito importante e muito útil em francês. Apresenta uma certa dificuldade por não ter equivalente em português. Significa "disso", "deles", "alguns", "um pouco de", "um pedaço de" e substitui alguma palavra que já foi mencionada com um partitivo.*
>   Avez-vous des enfants?
>   *Você tem filhos?*
>
>   Oui, j'**en** ai.
>   *Sim, tenho.*
>   (en *está em lugar de* enfants)

Et vous, avez-vous des enfants?
E vu, avê vu dezẽfã?
E você, tem filhos?

Non, je n'en ai pas, je ne suis pas mariée.
Nõ, jẽ nẽné pá, jẽn' sůí pá mariê.
Não, não tenho, não sou casada.

Est-ce que vos enfants sont ici?
Éss' quẽ vozẽfã sõ tici?
Seus filhos estão aqui?

Non, un de mes fils habite Londres.
Nõ, ẽ de me fis abit' Lõdr'.
Não, um de meus filhos mora em Londres.

Sa femme est anglaise.
Sa fám' é tãgléz'.
Sua mulher é inglesa.

Mes deux autres fils et ma fille Catherine
Me děz̲ôtr̲' fis e ma fii'e Catr̲in'
Meus dois outros filhos e minha filha Catherine

sont encore au lycée.
sõ tĕcór̲ o licê.
ainda estão no colégio.

— Avez-vous une photo de vos enfants?
 Avê vu ůn' fotôd' vozẽfã?
 Você tem uma fotografia de seus filhos?

— Oui, j'en ai une. Les voici tous ensemble.
 Uí, jĕné ůn'. Le vuaci tuss ẽssẽbl'.
 Sim, tenho uma. Aqui estão, todos juntos.

> **En *com números***
> *"Eu tenho uma"* — j'en ai une. *Note o uso de* en *com uma quantidade mencionada. Outro exemplo:*
> Combien de billets avez-vous?
> *("Quantos bilhetes você têm?")*
>
> J'en ai quatre.
> *("Tenho quatro.")*

— Quels beaux enfants!
 Quél bozẽfã!
 Que lindas crianças!

Quel âge a l'aîné?
Quél aj' a lenê?
Quantos anos tem o mais velho?

— André, celui de Londres, a vingt-trois ans.
 Andr̲ê, cěl̲ůi dě Lõdr̲', a vẽ tr̲uazã.
 André, o de Londres, tem vinte e três anos.

Pierre a dix-sept ans.
Piér̲' a dissétã.
Pierre tem dezessete anos.

— Catherine est très jolie.
Catrin' é tré joli.
Catherine é muito bonita.

A quel lycée vont-ils?
A quél licê võ til?
Em que colégio eles estão?

— Pierre est au Lycée Henri IV à Paris.
Piér é tô licê Ẽri catr' a Pari.
Pierre está no Liceu Henri IV, em Paris.

Il habite chez sa grand-mère.
Ilabit' chê sa grãmér.
Ele mora na casa da avó.

— Et les autres?
E le zotr'?
E os outros?

— Les autres vont au Lycée Français.
Le zotr' võ tolicê Frãcé.
Os outros vão ao Liceu Francês.

— Alors, tous vos enfants parlent très bien français, n'est-ce pas?
Alór, tu vozẽfã parl' tré biẽ frãcé, néss'pá?
Então, todos os seus filhos falam muito bem francês, não é?

> *Observe*
> tous vos enfants
> *tu* **vozẽfã**
> Ils sont tous sur la photo
> **il sõ *tus* sůr la fotô**
> *No primeiro caso temos um adjetivo e no segundo um pronome. Daí a diferença de pronúncia.*

— Oh oui, mieux que moi.
O'uí, miě quě muá.
Ah sim, melhor do que eu.

— Mais vous parlez très bien français,
Mé vu parlê tré biẽ frãcé,
Mas você fala francês muito bem,

et vous avez un très bon accent.
e vuzavê œ̃ tré bonacsẽ.
e você tem uma pronúncia muito boa.

— Vous êtes bien aimable.
Vuzét' biẽ emabl'.
Você é muito amável.

Ah! Voilá mon mari.
A! Vualá mõ mari.
Ah! Eis meu marido.

Il est sans doute temps de partir.
Ilé sã dut' tẽ dẽ partir.
Deve estar na hora de ir embora.

TESTE SEU FRANCÊS

Traduza estas frases para o português. Conte 10 pontos para cada tradução correta. Veja as respostas abaixo.

1. Est-ce que vous êtes mariée? _____

2. Oui, mon mari est là-bas. _____

3. Avez-vous des enfants? _____

4. Oui, nous en avons quatre. _____

5. Quels beaux enfants! _____

6. C'est un homme d'affaires. _____

7. Il a un bureau à Paris. _____

8. Je ne suis pas marié. _____

9. Vous avez un très bon accent. _____

10. Vous êtes bien aimable. _____

Respostas: 1. Você é casada? 2. Sim, meu marido está ali adiante. 3. Vocês têm filhos? 4. Sim, nós temos quatro. 5. Que lindas crianças! 6. Ele é um homem de negócios. 7. Ele tem um escritório em Paris. 8. Eu não sou casado. 9. Você tem uma pronúncia muito boa. 10. Você é muito amável.

Resultado: _____ %

passo 7 COMO LER, ESCREVER, SOLETRAR E PRONUNCIAR O FRANCÊS

Comment prononce-t-on les lettres de l'alphabet?
Comẽ pronõs' ton le létr' de lalfabé?
Como pronunciamos as letras do alfabeto?

Comme ceci:
Cóm' cĕci:
Assim:

A	B	C	D	E	F	G	H
a	be	ce	de	e	éf'	ge	ach'

I	J	K	L	M	N	O
i	gi	ca	él'	ém'	én'	ô

P	Q	R	S	T	U	V
pe	qũ	ér'	és'	te	ũ	ve

W	X	Y	Z
dubl'vê	ics	igréq'	zéd

W *pronunciado como* **v**
O w tem o mesmo som que o v. Não é, na realidade, uma letra do alfabeto francês, mas é incluída nele por ser usada em muitas palavras estrangeiras e nomes de lugares.

— Pardon, comment vous appelez-vous?
 Pardõ, comẽ vu zaplê vu?
 Por favor, como você se chama?

77

— Je m'appelle Paul Champeaux.
Jě mapél' Pól' Champô.
Eu me chamo Paul Champeaux.

— Est-ce qu'on écrit cela C H A M P O T?
Éss' cónecri cěla ce, ach', a, ém', pe, ô, te?
Escreve-se C H A M P O T ?

— Non, pas comme ça. C H A M P E A U X.
Nõ, pa com' ça. Ce, ach', ém', pe, a, y, ics.
Não, é deste modo. C H A M P E A U X.

Il y a trois accents en français.
Iliá truá zacsē ē frãcé.
Há três acentos em francês.

L'accent aigu et l'accent grave
Lacsē tegǔ e lacsē grav'
O acento agudo e o acento grave

changent la prononciation de e en é ou è,
chãj' la pronõciaciõ de ě ē e u é,
mudam a pronúncia de e para e ou é,

par exemple, l'Amérique, l'Algérie, l'élève.
par egzēpl', laméríc, lalgerí, lelév'.
por exemplo, a América, a Argélia, o aluno.

> *Acentos agudo e grave*
> *Os acentos agudo e grave afetam somente a pronúncia de e [ě], tornando-o é [e] ou è [é]. Contudo, a melhor maneira de perceber a diferença entre esses sons é ouvir um francês pronunciar as palavras que demos como exemplo.*
> *Os acentos graves sobre a e u não influenciam o som, mas são usados para diferenciar palavras curtas de significados diferentes.*
> a = *tem*
> à = *para*

ou = *ou*
où = *onde*

la = *a*
là = *lá*

On trouve des circonflexes sur les mots:
Õ truv' de circõflécs' sůr le mô:
Encontramos acento circunflexo nas palavras:

château, être, dîner, hôtel, dû,
chatô, étr', dinê, otél, dů,
castelo, ser, jantar, hotel, devido,

et sur beaucoup d'autres mots.
e sůr bocu dôtr' mô.
e em muitas outras palavras.

> *O acento circunflexo*
>
> *O acento circunflexo (^) aparece em vogais de algumas palavras. Quando é usado sobre um* e, *dá-lhe um som mais curto e, sobre um* o, *um som mais longo. Também aparece em palavras que perderam o* s *que tinham após a vogal, no francês arcaico. Assim, o acento circunflexo é, na realidade, uma lembrança do passado.*

Le petit signe sous le *c* dans les mots
Lẽ pti sinh' su lẽ c dã le mô
O sinalzinho sob o c *nas palavras*

ça, garçon, reçu, etc.
ça, garçõ, rẽçů, etc.
isso, menino, recibo, etc.

s'appelle la cédille.
sapél' la cedii'e.
chama-se cedilha.

***O* ç**
Como em português, o ç antes de a, o e u tem o som de s.

Lembre-se
Os acentos em francês são fonéticos e não tônicos. Não se preocupe se você esquecer de colocar algum deles, às vezes os franceses também esquecem.

On écrit une lettre à la main ou à la machine.
Onecrí ůn' létr' a la mẽ u a la machin'.
Escreve-se uma carta à mão ou à máquina.

Os vários usos de à
à *("para") também pode significar "em", "sobre", "ao lado de", "conforme", "no", "na", ou "com", dependendo da circunstância em que é usado.*

Quand la lettre est finie,
Cã la létr' é fini,
Terminando a carta,

on met le nom et l'adresse sur l'enveloppe.
õ mé lẻ nõ e ladréss' sůr lẽvlóp'.
coloca-se o nome e o endereço no envelope.

Ensuite, on met les timbres nécessaires,
ẽsůit', õ mé le tẽbr' necessér',
Em seguida, colocam-se os selos necessários,

et on porte la lettre à la boîte aux lettres.
e õ pórt' la létr' a la buátolétr'.
e leva-se a carta à caixa de correio.

CORRESPONDÊNCIA: BILHETE DE AGRADECIMENTO E CARTÃO-POSTAL

Voici une courte lettre à un ami:
Vuaci ũn' cur̲t' létr̲' a õe ami:
Aqui está uma carta breve para um amigo:

    le 10 mai
    lẽ diz mé
    10 de maio

> *Em francês, não se usam iniciais maiúsculas para dias da semana, meses do ano, nomes de línguas. As nacionalidades só têm inicial maiúscula quando usadas como substantivos.*
> Il est canadien. = *Ele é canadense.*
> C'est un Canadien. = *É um canadense.*

Mon cher Guillaume,
Mõ chér̲ Gũii'óm',
Caro Guillaume,

Merci beaucoup pour les jolies fleurs.
Mer̲ci bocu pur̲ le joli flœr̲.
Muito obrigada pelas belas flores.

Elles sont très belles!
Él' sõ tr̲é bél'!
Elas são lindas!

Les roses rouges sont mes fleurs favorites.
Le r̲ôz' ruj' sõ me flœr favor̲it'.
As rosas vermelhas são minhas flores favoritas.

A bientôt, j'espere.
A biẽtô, jespér̲'.
Até breve, espero.

Bien amicalement, Yvette.
Biẽnamical'mẽ, Ivét'.
Com amizade, Yvette.

Voici une carte postale à une amie:
Vuaci ũn' ca̲rt postal' a ũnami:
Eis um cartão-postal para uma amiga:

Ma chère Janine,
Ma chér̲ Janin',
Cara Janine,

Bons souvenirs de Cannes.
Bõ suvẽnir̲ de̥ Cán'.
Lembranças de Cannes.

Tout est très beau ici.
Tuté tr̲é bo ici.
Tudo é muito bonito aqui.

Le temps est magnifique
Le̥ tẽ é manhifíc'
O tempo está magnífico

et les gens sont très aimables.
e le jẽ sõ tré zemabl'.
e as pessoas são muito amáveis.

Mais, malheureusement, vous n'êtes pas là.
Mé, male̥r̲e̥z'mẽ, vu nét' pá lá.
Mas, infelizmente, você não está aqui.

82

Là
Là *pode significar* aqui *ou* lá, *de acordo com o contexto.*

Meilleures amitiés, Jacques.
Meii'óer zamitiê, Jac'.
Com toda a minha amizade, Jacques.

TESTE SEU FRANCÊS

Traduza estas frases para o francês. Conte 10 pontos para cada tradução correta. Veja as respostas abaixo.

1. Muito obrigada pelas belas flores. _____

2. Elas são lindas! _____

3. Rosas vermelhas são minhas flores favoritas. _____

4. Até breve, espero. _____

5. Lembranças de Cannes. _____

6. Tudo é lindo, aqui. _____

7. O tempo está magnífico. _____

8. As pessoas são muito amáveis. _____

9. Mas, infelizmente, você não está aqui. _____

10. Com toda a minha amizade. _____

Respostas: 1. Merci beacoup pour les jolies fleurs. 2. Elles sont très belles! 3. Les roses rouges sont mes fleurs favorities. 4. A bientôt, j'espère. 5. Bons souvenirs de Cannes. 6. Tout est très beau ici. 7. Le temps est magnifique. 8. Les gens sont très aimables. 9. Mais, malheureusement, vous n'êtes pas là. 10. Meilleures amitiés.

Resultado: _____ %

passo 8 — VERBOS BÁSICOS COM REFERÊNCIA AOS SENTIDOS

Voilà quelques verbes très importants:
Vualá quelquê verb' trézẽportã:
Aqui estão alguns verbos muito importantes:

voir, regarder, lire, écrire, entendre, écouter,
vuar, rēgardê, lir', ecrir', ētēdr', ecutê,
ver, olhar, ler, escrever, ouvir, escutar,

> **Voir *e* regarder — entendre *e* écouter**
> *Existe uma diferença importante entre os verbos* voir *e* regarder — entendre *e* écouter. *Podemos dizer que* voir *e* entendre *expressam ações puramente físicas, já que o sujeito vê e ouve, mesmo sem prestar atenção, caso seus sentidos sejam perfeitos.*
> *Já para os verbos* regarder *e* écouter *existe uma disposição mental, uma intenção do sujeito, que presta atenção para ouvir ou ver algo. Desse modo, se eu estou atento ao que diz meu amigo, direi:* J'écoute mon ami.
> *Mas, se a rua está movimentada, mesmo prestando atenção ao que diz meu amigo e não ao barulho dos automóveis, direi:* J'entends le bruit des voitures.
> *Se estou no cinema e olho para a tela, prestando atenção ao filme, posso dizer:* Je regarde le film.
> *Mas se uma moça passa na minha frente enquanto estou prestando atenção ao filme direi:* Je vois une jeune-fille.

marcher, courir, danser, et plusieurs autres.
marchê, curir', dãcê e plůziœr' zôtr'
andar, correr, dançar *e vários outros.*

Os três grupos verbais
Você já conhece o presente de vários desses novos verbos — os que terminam em er *— porque se conjugam como* parler, *já visto no Passo 5. Esses verbos são chamados verbos do 1.º grupo. Já os que terminam em* ir *e fazem o presente do indicativo em* is *e o particípio presente em* issant *são chamados verbos do 2.º grupo. Os outros terminados em* ir, *assim como em* re *ou* oir *e o verbo* aller *("ir"), pertencem ao terceiro grupo e, como você verá, têm um modelo de conjugação um pouco diferente.*

Nous voyons avec les yeux.
Nu vuaiõ avéc leziê.
Vemos com os olhos.

Je te vois. — Tu me vois.
Jĕ tĕ vuá. — Tŭ mĕ vuá.
Eu o vejo. — Você me vê.

Il ne nous voit pas, mais il la voit.
Il' nĕ nu vuá pá, mézil la vuá.
Ele não nos vê, mas ele a vê.

Forma pronominal para o objeto direto
Esses pronomes são colocados antes do verbo e são precedidos pela 1.ª partícula de negação (ne), *na forma negativa. Aqui estão eles:*
 me = me
 te = te
 o = le
 a = la
 se = se
 nos = nous
 vos = vous
 os/as = les
 se = se

Nous voyons la mer de notre maison.
Nu vuaiõ la mér dĕ nótr' mezõ.
De nossa casa, vemos o mar.

Nous regardons la télévision.
Nu rĕgardõ la televiziõ.
Nós vemos televisão.

Il la regarde. — Elle le regarde.
Il la rĕgard'. — Él' lĕ rĕgard'.
Ele a olha. — Ela o olha.

Ils ne me regardent pas.
Il nĕ mĕ rĕgard' pá.
Eles não me olham.

Ces gens lisent.
Ce jẽ liz'.
Essas pessoas estão lendo.

Cet homme lit le journal.
Cetóm' li lĕ jurnal'.
Esse homem lê o jornal.

Cette femme ne lit pas le journal.
Cét' fám' nĕ li pá lĕ jurnal'.
Essa mulher não lê o jornal.

Elle lit un magazine.
Él' li œ̃ magazin'.
Ela lê uma revista.

Nous écrivons avec un crayon ou avec un stylo.
Nuzecrivõ zavéc'œ̃ creiõ u avéc'œ̃ stilô.
Escrevemos com um lápis ou com uma caneta.

> *Verbos irregulares*
> *De acordo com as terminações,* dire, voir, lire *e* écrire
> *pertencem ao 3.º grupo e deveriam ser conjugados da*

mesma forma. Contudo, alguns dos verbos mais comuns são irregulares — quer dizer, não seguem modelo algum — e devem ser estudados separadamente. Segue-se o presente desses verbos (daqui em diante daremos só a forma masculina, na terceira pessoa, já que é idêntica à feminina).

dire ("*dizer*")	voir ("*ver*")
je dis	je vois
tu dis	tu vois
il dit	il voit
nous disons	nous voyons
vous dites	vous voyez
ils disent	ils voient

lire ("*ler*")	écrire ("*escrever*")
je lis	j'écris
tu lis	tu écris
il lit	il écrit
nous lisons	nous écrivons
vous lisez	vous écrivez
ils lisent	ils écrivent

J'écris à la main. — Elle écrit à la machine.
Jecri a la mẽ. — Él' ecri a la machin'.
Eu escrevo à mão. — Ela escreve à máquina.

Il m'écrit. — Elle vous écrit.
Il mecri. — Él' vuzecri.
Ele me escreve. — Ela escreve para vocês.

On entend avec les oreilles.
Õ nētē avéc' lezoréii'e.
Ouvimos com os ouvidos.

Entendre

Entendre *("ouvir") é um típico verbo do 3.º grupo (com* re *no infinitivo)* — j'entends, tu entends, il entend, nous entendons, vous entendez, ils entendent. *Você encontrará outros verbos simples que seguem esse padrão nos Passos seguintes, e chamaremos sua atenção para eles.*

Nous entendons parler les gens.
Nuzẽtẽdõ parlê le jẽ.
Ouvimos as pessoas falando.

Je vous parle. — Vous m'écoutez.
Jě vu parl'. — Vu mecutê.
Eu falo com vocês. — Vocês me escutam.

> **Pronomes com função de objeto indireto**
> *me* = me (m' *diante de vogal*)
> *te* = te (t' *diante de vogal*)
> *lhe* = lui
> *nos* = nous
> *vos* = vous
> *lhes* = leur

Tu me parles. — Je t'écoute.
Tům' parl'. — Jě tecut'.
Você fala comigo. — Eu o escuto.

Qu'est-ce que vous écoutez?
Quéss' quě vuzecutê?
O que vocês estão escutando?

Nous sommes en train d'écouter la radio.
Nu sóm' zẽ trẽ decutê la radiô.
Estamos ouvindo rádio.

> **En train de** — *o verdadeiro presente*
> *O presente, em francês, serve para indicar um hábito, ou expressar um fato genérico* (je chante; je m'appelle Jean Dupont). *Contudo, às vezes é usado para expressar uma ação que está em curso como:* Qu'est-ce que vous écoutez? *Para esclarecer melhor essa idéia da ação em curso, existe a expressão* en train de *que é precedida pelo verbo*

être *no tempo em que se passa a ação e seguida pelo infinitivo do verbo que traduz essa ação.*
Nous sommes en train d'écouter la radio.
Estamos ouvindo rádio.
Je suis en train d'écrire une lettre.
Estou escrevendo uma carta.
Nestes exemplos, as ações estão em curso no momento. Assim, podemos dizer que este é o verdadeiro presente.

Paul est en train d'écouter les nouvelles.
Pól é tẽ trẽ decutê le nuvél'.
Paul está ouvindo as notícias.

Hélène est en train d'écouter un disque.
Elén' é tẽ trẽ decutê õe disc'.
Hélène está ouvindo um disco.

Une dame chante. Les auditeurs l'écoutent.
Ůn' dám' chãt'. Lezoditóer lecut'.
Uma senhora está cantando. O público está ouvindo.

Elle finit de chanter.
Él' fini d'chãtê.
Ela termina de cantar.

> **Finir** — *modelo para a conjugação dos verbos do 2.º grupo*
> *Este é o verbo padrão para a 2.ª conjugação e sua forma, no presente, é:* je finis, tu finis, il finit, nous finissons, vous finissez, ils finissent. *Já dissemos que o verbo padrão para o 3.º grupo é* entendre. *Contudo, como há muitos verbos contendo várias anomalias, é melhor considerar individualmente cada verbo importante (na verdade, os verbos mais usados são os irregulares) e aprendê-los, com suas irregularidades, pelo uso.*

Tout le monde dit:
Tul' mõd di:
Todo o mundo diz:

Bravo! C'est magnifique! Formidable!
Bravô! Cé manhifíc'! Formidabl'!
Bravo! É magnífico! Formidável!

Avec la bouche, nous mangeons et nous buvons.
Avéc' la buch', nu mãjõ e nu bůvõ.
Com a boca, nós comemos e bebemos.

Nous mangeons du pain, de la viande, des légumes et des fruits.
Nu mãjõ dů pẽ, dẻ la viãd', de legům' e de frůi.
Nós comemos pão, carne, legumes e frutas.

Nous buvons du café, du thé, du vin, de la bière, de l'eau.
Nu bůvõ dů cafê, dů tê, dů vẽ, dẻ la biér', dẻ lô.
Nós bebemos café, chá, vinho, cerveja, água.

> *Os partitivos — três exemplos*
> *Note como as três formas dos artigos partitivos, no singular, são usadas em uma frase —* du *(masc.),* de la *(fem.),* de l' *(antes de vogal).*

Mon oncle Jules ne boit pas de lait.
Monõcl' Jůl' nẻ buá pá dlé.
Meu tio Jules não bebe leite.

> *Forma negativa = "de"*
> du, de la, de l' *e* des *quantificam (embora não determinem a quantidade). Assim, é lógico que não sejam usados na forma negativa, quando não existe quantidade. Usa-se então* de *ou* d' *(antes de vogal).*
> Quoi! Vous ne mangez pas de fromage?
> *Como! Vocês não comem queijo?*

Il boit du champagne.
Il' buá dů chãpánh'.
Ele bebe champanhe.

Nous marchons et nous courons avec les jambes et les pieds.
Nu marchõ e nu curõ avéc le jãb' e le piê.
Andamos e corremos com as pernas e os pés.

Quand on danse, on remue tout le corps.
Cãtõ dãs', õ rěmů tul' cór.
Quando dançamos, movemos o corpo todo.

Avec le corps nous sentons
Avéc lě cór nu sětõ
Com o corpo, sentimos

> **Sentir** *significa "sentir" e "cheirar"*
> *Embora termine em* ir, *tem a conjugação diferente de* finir. *Pertence ao 3.º grupo, como* sortir *("sair"),* dormir *("dormir"),* courir *("correr"),* partir *("partir"). Eis o modelo para o presente indicativo:* je sens, tu sens, il sent, nous sentons, vous sentez, ils sentent.

si nous avons chaud ou froid,
si nuzavõ chô u fruá,
se estamos com calor ou frio,

si nous avons faim ou soif,
si nuzavõ fẽ u suaf,
se estamos com fome ou sede,

> *"Ter" em vez de "sentir" ou "estar com"*
> *Para explicar que se está com fome, com sede, com calor ou com frio, usa-se sempre o verbo* avoir.
> *estou com calor* = j'ai chaud
> *estou com frio* = j'ai froid
> *estou com fome* = j'ai faim
> *estou com sede* = j'ai soif
> *Vocês estão com calor?* = Avez-vous chaud?
> *Você está com calor?* = As-tu chaud?
> *O senhor está com frio?* = Avez-vous froid?
> *Você está com frio?* = As-tu froid?
> *A senhora está com fome?* = Avez-vous faim?
> *Você está com fome?* = As-tu faim?
> *Vocês estão com sede?* = Avez-vous soif?
> *Você está com sede?* = As-tu soif?

et nous savons aussi si nous sommes malades
e nu savõ ossi si nussóm' malad'
e sabemos também se estamos doentes

ou en bonne santé.
u ẽ bón' sãté.
ou com saúde.

Voilà des exemples
Vualá dezegzẽpl'
Eis alguns exemplos

de l'emploi des pronoms compléments.
dẽ lẽpluá de pronõ cõplemẽ.
do emprego dos pronomes complemento de objeto direto.

    Pierre aime la campagne.
    Piér ém' la cãpánh'.
    Pierre aprecia o campo.

        Il l'aime.
        Il' lém'.
        Ele o aprecia.

Il regarde les oiseaux et les arbres.
Il' rẽgard' lezuazô e lezarbr'.
Ele olha os pássaros e as árvores.

        Il les regarde.
        Il' le rẽgard'.
        Ele os olha.

Un taureau mange l'herbe.
œ̃ torô mãj' lérb'.
Um touro está comendo o capim.

        Il la mange.
        Il' la mãj'.
        Ele o come.

En — *observe:*
Se o touro está comendo todo o capim, o objeto direto é la. *Para exprimir uma quantidade indeterminada, uma parte do capim, usa-se o pronome* en: il en mange.

Pierre ne voit pas le taureau.
Piér'ně vuá pá lě torô.
Pierre não vê o touro.

    Il ne le voit pas.
    Il' ně lě vuá pá.
    Ele não o vê.

Le taureau regarde Pierre.
Lě torô rěgard' Piér'.
O touro olha para Pierre.

    Il le regarde.
    Il' lě rěgard'.
    Ele o olha.

Pierre entend le taureau.
Piér' ētē lě torô.
Pierre ouve o touro.

    Il l'entend et il le voit.
    Il' lētē e il' lě vuá.
    Ele o ouve e ele o vê.

Il court vers la barrière...
Il' cur vér la bariér'...
Ele corre em direção à cerca...

    et, vite, il saute par-dessus.
    e, vit', il' sot' pardessů.
    e, rapidamente, ele salta por cima.

CONVERSAÇÃO: NUMA DISCOTECA

PIERRE:
Piér̲':
PIERRE:
Tu vois cette femme là-bas?
Tů vuá cét' fám' lá bá?
Você está vendo aquela moça ali?

JEAN-PAUL:
Jẽ-Pól:
JEAN-PAUL:
Comment? Je ne t'entends pas bien, à cause de la musique.
Comẽ? Jẻ nẻ tẽtẽ pá biẽ, a côz' dẻ la můzíc'.
O quê? Eu não estou ouvindo bem, por causa da música.

Il y a trop de bruit.
Iliá tr̲ô dẻ brůí.
Há muito barulho.

PIERRE:
Je te dis: vois-tu cette femme là-bas?
Jẻ tẻ di: vuá tů cét' fám' lá bá?
Estou perguntando: você está vendo aquela moça ali?

JEAN-PAUL:
Laquelle? Il y en a beaucoup.
Laquél? Iliẽná bocu.
Qual delas? Há muitas.

Qual? Quais?
lequel *(masc. sing.)*
laquelle *(fem. sing.)*
lesquels *(masc. pl.)*
lesquelles *(fem. pl.)*

PIERRE:
Celle qui est près du micro.
Cél' qui é pré dů mic_r_ô.
Aquela que está perto do microfone.

JEAN-PAUL:
La blonde qui est en train de chanter,
La blõd' qui étẽ t_r_ẽ dẽ chãtê,
A loira que está cantando,

ou la brune qui danse toute seule là-bas?
u la b_r_ůn' qui dãs' tut sœl' lá bá?
ou a morena que está dançando sozinha ali adiante?

PIERRE:
Mais non. La jolie, aux cheveux noirs.
Mé nõ. La joli, ochvẽ nua_r_.
Não. A bonita, de cabelos negros.

JEAN-PAUL:
Celle qui danse avec le vieux monsieur?
Cél' qui dãs' avéc lẽ viẽ mẽssiẽ?
Aquela que está dançando com o senhor idoso?

PIERRE:
Oui, celle-là.
Uí, cél' lá.
É, aquela ali.

JEAN-PAUL:
Tiens! Elle est assez jolie. Et en plus elle danse bien.
Tiẽ! Élé tassê joli. E ẽ plůs' él' dãs' biẽ.
Puxa! Ela é bem bonita. E, além disso, ela dança bem.

Tu la connais?
Tů la coné?
Você a conhece?

PIERRE:
Non, je ne la connais pas, et toi?
Nõ, jě ně la coné pá, e tuá?
Não, eu não a conheço, e você?

JEAN-PAUL:
Moi non plus, bien sûr. Voilà pourquoi je te le demande.
Muá nõ plů, biẽ sůr. Vualá pur̲quá jě tě lě děmād.
Eu também não, é claro. É por isso que estou perguntando a você.

PIERRE:
Ça va. Je vois bien qu'elle t'intéresse.
Ça vá. Jě vuá biẽ quél' tẽteréss'.
Está bem. Estou vendo que você se interessa por ela.

Allons voir Louis. Il connaît tout le monde.
Alõ vuar Luí. Il' coné tul' mõd'.
Vamos procurar o Luís. Ele conhece todo o mundo.

Il va sûrement vous présenter.
Il' va sůr̲'mẽ vu pr̲ezētê.
Com certeza ele vai apresentar vocês.

TESTE SEU FRANCÊS

Numere a coluna da direita fazendo com que as frases em francês correspondam às da coluna da esquerda, em português. Conte 10 pontos para cada resposta correta. Veja as respostas abaixo.

1. Eu vejo você.   Il connaît tout le monde.

2. Você me vê.   Elle danse bien.

3. Ele olha para eles.   Cette dame chante.

4. Ele gosta dela.   Il y a trop de bruit.

5. Ele me escreve.   La connaissez-vous?

6. Esta senhora está cantando.   Tu me vois.

7. Vocês a conhecem?   Il les regarde.

8. Há muito barulho.   Il l'aime.

9. Ela dança bem.   Il m'écrit.

10. Ele conhece todo o mundo.   Je te vois.

Respostas: 10, 9, 6, 8, 7, 2, 3, 4, 5, 1.

Resultado: _____ %

passo 9 — PROFISSÕES E NEGÓCIOS

Pour connaître la situation ou la profession
Pur conétr' la sitůaciõ u la professiõ
Para saber a posição ou a profissão

d'une personne, on demande:
důn' persón', õ děmãd:
de uma pessoa, perguntamos:

> "Quelle est votre profession?"
> **"Quélé vótr' professiõ?"**
> *"Qual é a sua profissão?"*

> ou: "Qu'est-ce que vous faites?"
> **u: "Quéss' quě vu fét'?"**
> *ou: "O que o senhor faz?"*

Voici quelques métiers ou professions:
Vuaci quélc' metiê u professiõ:
Eis alguns trabalhos ou profissões:

> Un homme d'affaires travaille dans un bureau.
> **œ̃nóm' dafér' travaii'e dãzœ̃ bůrô.**
> *Um homem de negócios trabalha num escritório.*

> Les ouvriers travaillent dans des usines.
> **Lezuvriê travaii'e dã dezůzin'.**
> *Os operários trabalham em fábricas.*

> Les médecins soignent les malades.
> **Le medsẽ suánhe le malad'.**
> *Os médicos cuidam dos doentes.*

Les acteurs et les actrices
Lezactóer e lezactriss'
Os atores e as atrizes

font du théâtre ou du cinéma.
fõ dů teátr u dů cinemá.
fazem teatro ou cinema.

> **Faire du théâtre** — *"fazer teatro"*
> *Equivale a "trabalhar em", "representar em". Assim, também,* faire de la politique *("fazer política").*

Un peintre fait des portraits ou des paysages.
ớe pětr' fé de portré u de peizáj'.
Um pintor faz retratos ou paisagens.

Un auteur écrit des livres ou des articles.
ớenotóer ecri de livr' u dezartícl'.
Um autor escreve livros ou artigos.

Un musicien joue du piano ou d'un autre instrument.
ớe můziciẽ ju dů pianô u dớenotrẽstrůmẽ.
Um músico toca piano ou outro instrumento.

> **Jouer de — jouer à**
> *O verbo* jouer *é usado com a preposição* de, *seguida pelo artigo definido, para expressar a idéia de tocar um instrumento.*
>   Jouez-vous du violon?
>   *Vocês tocam violino?*
>
> *Para a idéia de praticar esportes ou brincar, usa-se a preposição* à, *seguida pelo artigo definido.*
>   Jouez-vous au tennis?
>   *Vocês jogam tênis?*
>
>   Tu joues à la poupée?
>   *Você está brincando de boneca?*

Un mécanicien répare des autos.
õẽ mecaniciẽ repar dezotô.
Um mecânico conserta automóveis.

Le facteur apporte le courrier.
Lẽ factóer apórt' lẽ curiê.
O carteiro traz a correspondência.

Un conducteur d'autobus conduit un autobus.
õẽ cõdůctóer dotobůs cõdůí õẽnotobůs.
Um motorista de ônibus dirige ônibus.

Les chauffeurs de taxi conduisent des taxis.
Le chofóer de tacsí cõdůiz' de tacsí.
Os motoristas de táxi dirigem táxis.

Les pompiers éteignent les incendies.
Le põpiê eténh' lezẽcẽdi.
Os bombeiros apagam os incêndios.

Les agents de police maintiennent l'ordre dans la rue,
Lezajẽ dẽ políss' mãtién' lórdr dã la růe,
Os policiais mantêm a ordem na rua,

et arrêtent les criminels.
e arét' le criminél.
e prendem os criminosos.

> *Compare com o Passo 5*
> *A maioria dos verbos usados acima são regulares, do 1.º grupo —* demander, travailler, soigner, jouer, apporter *e* arrêter *—, portanto, seguem a forma do verbo* parler.
> *Os infinitivos dos outros verbos são:* faire, écrire, conduire, éteindre *e* maintenir.

CONVERSAÇÃO: NUMA FESTA

(Os interlocutores não são íntimos, já que se tratam por vous, *mas traduziremos por* você, *uma vez que não se trata de comunicação formal.)*

— Quelle agréable réunion!
Quél' agreabl' reůniõ!
Que reunião agradável!

— Oui, les invités sont très intéressants.
Uí, lezẽvitê sõ trézẽteressã.
Sim, os convidados são muito interessantes.

Madame de Laramont a beaucoup d'amis,
Madám dẽ Laramõ a bocu dami,
A Sra. de Laramont tem muitos amigos,

dans des milieux très divers.
dã de miliẽ tré divér.
em círculos muito diferentes.

Dans ce groupe là-bas près de la fenêtre,
Dã cẽ grup' lá bá pré dẽ la f'nétr',
Naquele grupo ali, perto da janela,

il y a un avocat, um compositeur,
iliá ẽnavocá, ẽ cõpozitóer,
há um advogado, um compositor,

un banquier, un architecte,
ẽ bãquiê, ẽnarchitéct',
um banqueiro, um arquiteto,

un dentiste et une vedette de cinéma.
ẽ dẽtist' e ũn' vẻdét' de cinemá.
um dentista e uma estrela de cinema.

— Tiens! Je me demande de quoi ils parlent,
Tiẽ! Jẻ mẻ dẻmãd' dẻ quá il par̲l',
Puxa! Pergunto-me sobre o que eles estarão falando,

architecture, finance, musique, droit... Qui sait?
ar̲chitectůr̲, finãss', můzíc', dr̲uá... Qui sé?
arquitetura, finanças, música, direito... Quem vai saber?

> **Se demander**
> *O verbo* se demander *serve para a construção da interrogação indireta, com o sentido de* imaginar, perguntar-se.

— Pensez-vous! Ils parlent sûrement de cinéma.
Pẽssê vu! Il' par̲l' sůr̲mẽ dẻ cinemá.
Imagine só! Com certeza estão falando sobre cinema.

— Savez-vous qui est cette très jolie femme brune,
Savê vu qui é cét' tr̲é joli fám' br̲ůn',
Você sabe quem é aquela linda morena,

dans un élegant tailleur noir?
dãzõenelegã taiiór̲ nuar̲?
com um elegante conjunto preto?

— C'est une danseuse étoile de l'Opéra.
Cétůn' dãssẻz' etuál' dẻ loperá.
É uma dançarina conhecida da Opéra.

Elle s'appelle Yvonne Thomas.
Él' sapél' Ivón' Tomá.
Seu nome é Yvonne Thomas.

— Et les deux hommes qui parlent avec elle?
E le dẻzóm' qui par̲l' tavéquél?
E os dois homens que estão falando com ela?

— Le vieux monsieur est chef d'orchestre,
 Lẻ viẽ mẻssiẽ é chéf do_rquestr̲',
 O senhor idoso é maestro,

 et le beau jeune homme est acteur, assez mauvais d'ailleurs.
 e lẻ bô jẻnóm' é tactóe_r, assê mové daii'óe_r.
 e o belo rapaz é ator, bastante ruim aliás.

— Regardez! Vous voyez qui arrive maintenant?
 Rẻgardê! Vu vuaiê qui a_riv' mẽt'nã?
 Olhe! Você está vendo quem está chegando agora?

 C'est le Commandant Marcel Bardet,
 Cé l' comãdã Ma_rcel Ba_rdê,
 É o comandante Marcel Bardet,

 l'explorateur du fond de la mer.
 lecsplo_ratóe_r du fõ de la mér.
 o explorador do fundo do mar.

— Tiens! Savez-vous qu'il y a un article sur lui
 Tiẽ! Savê vu quiliá ẽna_rticl' sů_r lůí
 Puxa! Sabe que há um artigo sobre ele

 dans le Figaro d'aujourd'hui?
 dã l' Figa_rô dojurdůí?
 no Fígaro de hoje?

 Quelle vie aventureuse!
 Quél' vi avẽtů_rẻz'!
 Que vida aventurosa!

— ...et dangereuse! Vous savez, je le connais bien.
 ...e dãj'rẻz'! Vussavê, jẻ lẻ coné biẽ.
 ...e perigosa! Sabe, eu o conheço bem.

 Il raconte toujours des choses très intéressantes.
 Il' _racõt' tuju_r de chôz' trézẽte_ressãt'.
 Ele sempre relata acontecimentos muito interessantes.

Allons bavarder un moment avec lui.
Alõ bavardê œ̃ momẽ avéc'lůí.
Vamos conversar um pouco com ele.

Je vais vous le présenter.
Jẽ vé vul' presẽtê.
Vou apresentá-lo a você.

> *Ordem dos pronomes*
> *Quando dois pronomes objetivos são usados juntos, precedendo um verbo, eles seguem a seguinte ordem:* me, vous *e* nous, *depois* le, la *e* les, *e finalmente* lui *e* leur.

TESTE SEU FRANCÊS

Ligue as pessoas da coluna da esquerda ao trabalho que fazem, especificado na coluna da direita. Conte 10 pontos para cada ligação correta. Veja as respostas abaixo.

1. Un homme d'affaires   fait des paysages (A)

2. Les médecins   éteignent les incendies (B)

3. Un auteur   joue du piano (C)

4. Les acteurs et les actrices   arrêtent les criminels (D)

5. Un peintre   travaille dans un bureau (E)

6. Un musicien   apporte le courrier (F)

7. Le facteur   répare des autos (G)

8. Les pompiers   soignent les malades (H)

9. Un mécanicien   écrit des livres (I)

10. Les agents de police   font du cinéma (J)

Respostas: 1. E; 2. H; 3. I; 4. J; 5. A; 6. C; 7. F; 8. B; 9. G; 10. D.

Resultado: _____ %

passo 10 — INFORMAÇÕES SOBRE A DIREÇÃO A SEGUIR — VIAGEM DE AUTOMÓVEL

Voici quelques exemples de l'emploi
Vuaci quélquezegzĕpl' dĕ lĕpluá
Eis alguns exemplos do uso

de l'impératif et des pronoms compléments.
dĕ l'ẽpe_ratif e des p_ronõ cõplemẽ.
do imperativo e dos pronomes complementos.

    L'homme dans la voiture parle à un piéton.
    Lóm' dã la vuatŭ_r' pa_rl' a œ̃ pietõ.
    O homem que está no automóvel fala com um pedestre.

    Il lui demande: "Est-ce que je suis bien sur la route d'Avignon?"
    Il' lŭi dĕmãd': "Éss' quĕ jĕ sŭi biẽ sŭ_r la _rut' davinhõ?"
    Ele lhe pergunta: "Estou mesmo na estrada de Avignon?"

    Le piéton lui répond: "Non, monsieur.
    Lĕ pietõ lŭi _repõ: "Nõ, mĕssiĕ.
    O pedestre lhe responde: "Não, senhor.

    Vous n'y êtes pas du tout.
    Vu ni ét' pá dŭ tu.
    De modo algum.

> *A importância do* y
> *Essa palavrinha de uma só letra é bastante útil, assim como* en, *já que podem substituir uma frase inteira. Ambas podem dar indicação de lugar: nesse caso,* en *se opõe a* y *porque responde à pergunta* d'où? *("de onde?"), enquanto* y *responde à pergunta* où? *("onde?").*

Je vais au cinéma. J'y vais ce soir, à huit heures.
Vou ao cinema. Vou (lá) hoje à noite, às oito horas.

Je vais à la poste; j'en apporterai le courrier.
Vou ao correio; vou trazer (de lá) a correspondência.

Y *também é usado como pronome pessoal complemento de objeto indireto, substituindo pessoas ou coisas, com verbos empregados com a preposição* à.
Je n'y pense plus. (penser à)
Eu não penso mais nisso.
En *é usado, com a mesma função, com verbos empregados com a preposição* de.
Je n'en parle plus. (parler de)
Eu não falo mais disso.

Pour retrouver la route d'Avignon,
Pur r̥etruvê la rut' davinhõ,
Para encontrar a estrada de Avignon,

continuez tout droit jusqu'à la deuxième rue.
cõtinûê tu dr̥uá jŭscala děziém' r̥ŭ'.
continue em frente até a segunda rua.

Pouis tournez à gauche.
Pŭi tur̥nê a goch'.
Depois vire à esquerda.

Allez jusqu'au troisième feu rouge.
Alê jŭsco tr̥uaziém' fě r̥uj'.
Vá até o terceiro semáforo.

Là, vous tournez à droite.
Lá, vu tur̥nê a dr̥uat'.
Lá, vire à direita.

Ensuite vous êtes sur la bonne route.
Ẽsŭit' vuzét' sŭr̥ la bón' r̥ut'.
Aí o senhor estará na estrada certa.

Mais attention à la police.
Mézatēciõ a la políss'.
Mas cuidado com a polícia.

Il y a une limite de vitesse."
Iliá ûn' limit' dĕ vitéss'."
Há um limite de velocidade."

L'automobiliste le remercie,
Lotomobilist' lĕ r̲ĕme̲rci',
O motorista lhe agradece,

et suit ses indications;
e sŭí sezē dicaciõ;
e segue suas indicações;

il tourne à gauche dans la deuxième rue,
il tu̲rn' a goch' dā la dĕziém' r̲ŭ,
ele vira à esquerda na segunda rua,

continue jusqu'au troisième feu rouge,
cõtinŭ' jŭsco t̲ruaziém' fĕ r̲uj',
continua até o terceiro semáforo,

> **Feu rouge — feu vert**
> Feu *significa "fogo". Porém, em francês, chamamos o sinal vermelho de* feu rouge, *o verde de* feu vert. *Usa-se também* feu rouge, *ou simplesmente* feu, *para designar o semáforo.*

et tourne à droite.
e tu̲rn' a d̲ruat'.
e vira à direita.

Mais un agent de police en motocyclette le voit.
Mézõenajē dĕ políss' ē motociclét' lĕ vuá.
Mas um policial de motocicleta o vê.

Il le suit, le dépasse et l'arrête.
Il' lĕ sŭí, lĕ depass' e larét'.
Ele o segue, o ultrapassa e o pára.

Il lui dit: "Et alors, le feu rouge?
Il' lŭí di: "E alór, lĕ fĕ ruj'?
Ele lhe diz: E então, o sinal vermelho?

> **Alors**
> *Essa palavra aparece freqüentemente na conversação coloquial, com vários sentidos e conotações, inclusive o sarcasmo, como no caso do policial.*

Montrez-moi votre permis de conduire."
Mõtrê muá votr' permid' cõdŭir."
Mostre-me sua carteira de motorista."

> ***Ordem dos pronomes com o imperativo***
> *Quando os pronomes complemento de objeto são usados depois de um imperativo, me torna-se moi.*
> > Ecrivez-le-moi!
> > *Escreva-o para mim!*
>
> *O imperativo afirmativo troca a ordem dos pronomes e, assim, o objeto indireto vem depois. Porém, no imperativo negativo, a ordem normal é restabelecida.*
> > Ne me l'écrivez pas!
> > *Não o escreva para mim!*

L'automibiliste le lui donne.
Lotomobilíst' lĕ lŭi dón'.
O motorista lhe dá a carteira.

"Donnez-moi aussi la carte grise."
"Donê muá ossi la cart' griz'."
"Dê-me também o certificado de propriedade."

Il la lui donne.
Il' la lŭi dón'.
Ele lhe dá o certificado.

L'agent écrit une contravention
Lajē ecri ūn' cōtravēciō
O policial preenche uma multa

et la donne à l'automobiliste.
e la don' a lotomobilíst'.
e a dá ao motorista.

Il lui rend le permis et la carte grise.
Il' lűí rē lē permi e la cart griz'.
Ele lhe devolve a carteira e o certificado.

"Tenez", lui dit-il, "et à l'avenir faites attention."
"Tēnê", lűí ditil, "e a lavēnir fétzatēciō."
"Tome", lhe diz ele, "e no futuro preste atenção."

CONVERSAÇÃO: DANDO ORDENS

LA DAME:
La dám':
A SENHORA:
Marie, vous n'entendez pas, on sonne.
Mari, vu nētēdê pá, õ són'.
Marie, você não está ouvindo, estão tocando a campainha.

Il y a quelqu'un à la porte. Ouvrez s'il vous plaît.
Iliá quélcœ̃ a la pórt'. Uvrê sil vu plé.
Há alguém à porta. Abra, por favor.

Qui est-ce?
Qui éss'?
Quem é?

MARIE:
Mari:
MARIE:
C'est le garçon-boucher qui livre la viande.
Cél' garçõ buchê qui livr' la viãd'.
É o rapaz do açougue, que está entregando a carne.

LA DAME:
Mettez-la dans le réfrigérateur.
Metê lá dã lẽ refrigeratœ́r'.
Coloque-a na geladeira.

Avez-vous la note?
Avê vu la nót'?
Você está com a nota?

MARIE:
C'est lui qui l'a, madame.
Cé lůí qui lá, madám'.
Está com ele, senhora.

> **C'est moi**
> *Sou eu* = C'est moi
> *É você* = C'est toi
> *É ele* = C'est lui
> *É ela* = C'est elle
> *Somos nós* = C'est nous
> *São vocês* = C'est vous
> *São eles* = C'est eux
> *São elas* = C'est elles
>
> avec moi = *comigo*
> sans elle = *sem ela*

LA DAME:
Dites-lui de la laisser sur la table de la cuisine.
Dit' lůí dẻ la lessê sů̱r la tabl' dẻ la cůizin'.
Diga-lhe para deixá-la sobre a mesa da cozinha.

Je ne la paie pas tout de suite.
Jẻn' la péi' pá tud sůit'.
Eu não vou pagá-la imediatamente.

Voilà la liste pour demain. Prenez-la et donnez-la-lui.
Vualá la list' pu̱r dẻmẽ. P̱renê lá e donê lá lůí.
Eis a lista para amanhã. Pegue-a e dê a ele.

MARIE:
Oui, madame. Tout de suite.
Uí, madám. Tud' sůit'.
Sim, senhora. Agora mesmo.

LA DAME:
Et maintenant je sors.
E mẽt'nã jẻ só̱r.
E agora vou sair.

Je vais d'abord chez le coiffeur,
Jě vé dabór chê lě cuafóer,
Vou antes ao cabeleireiro,

> **Chez le coiffeur**
> *O vocabulário que se segue será útil para comunicação com o* coiffeur *("cabeleireiro" ou "barbeiro").*
>
> *Para senhoras:*
> une mise en plis = *enrolar o cabelo*
> un shampoing = *uma lavagem*
> un rinçage = *uma rinsagem*
> plus clair = *mais claro*
> plus foncé = *mais escuro*
> comme ça = *assim*
> une manicure = *fazer as unhas da mão*
>
> *Para homens:*
> une coupe de cheveux = *um corte de cabelos*
> pas trop court = *não muito curto*
> un massage = *uma massagem*
> la barbe aussi = *a barba também*

et ensuite je vais faire des courses.
e ēsůit jě vé fér' de curs'.
e em seguida vou fazer compras.

> *Mais expressões com* **faire**
> faire des courses = *fazer compras*
> faire une promenade = *passear*
> faire du ski = *esquiar*
> faire du sport = *praticar esportes*
> faire réparer = *mandar consertar*
> faire nettoyer = *mandar limpar*
> faire repasser = *mandar passar*

Pendant ce temps, nettoyez la maison,
Pēdãss' tē, netuaiê la mezõ,
Enquanto isso, limpe a casa,

et préparez le dîner.
e pre̱pa̱rê lě dinê.
e prepare o jantar.

Voilà deux robes, une jupe et un complet.
Vualá dě ró̱b', ůn' jůp' e œ̆ cõplé.
Tome dois vestidos, uma saia e um conjunto.

Portez-les chez le teinturier.
Po̱rtê le chê lě tẽtů̱riê.
Leve-os ao tintureiro.

Allons bon... Encore le téléphone...
Alõ bõ... ẽcó̱r lě telefón'...
Bem... O telefone de novo...

Répondez, s'il vous plaît...
Ṟepõdê, sil' vu plé...
Atenda, por favor...

Qui est-ce?
Qui éss'?
Quem é?

MARIE:
C'est mon ami Jules.
Cé monami Jů̊l'.
É meu amigo Jules.

Il m'invite au bal ce soir.
Il' mẽvit' ô bál cě sua̱r.
Está me convidando para o baile desta noite.

LA DAME:
Mais nous avons des invités.
Mé nuzavõ dezẽvitê.
Mas temos convidados.

115

Bon... allez-y. Mais servez d'abord le dîner.
Bõ... alezí. Mé se_r_vê dabó_r_ lẽ dinê.
Bem... pode ir. Mas antes sirva o jantar.

TESTE SEU FRANCÊS

Traduza estes imperativos para o francês. Onde houver pronomes, o gênero será indicado. Conte 5 pontos para cada resposta correta. Veja as respostas abaixo.

1. Venham cá!
2. Vá!
3. Continue sempre em frente!
4. Vire à direita!
5. Vire à esquerda!
6. Digam-me!
7. Mostrem-me!
8. Espere!
9. Respondam!
10. Preste atenção!
11. Dê-me isso! (masc.)
12. Abra-a!
13. Fechem-no!
14. Peguem-na!
15. Levem-nos!
16. Limpe-os!
17. Dê-lhe isso! (fem.)
18. Ponham-na aí!
19. Façam-no!
20. Não o façam!

Resultado: _____ %

Respostas: 1. Viens ici! 2. Va! 3. Continue tout droit! 4. Tourne à droite! 5. Tourne à gauche! 6. Dites-moi! 7. Montrez-moi! 8. Attend! 9. Répondez! 10. Fais attention! 11. Donnez-le moi! 12. Ouvre-la! 13. Fermez-le! 14. Prenez-la! 15. Portez-les! 16. Nettoie-les! 17. Donne-la-lui! 18. Mettez-la ici! 19. Faites-le! 20. Ne le faites pas!

passo 11 — DESEJOS E NECESSIDADES (QUERO, POSSO, PODERIA, PRECISO, GOSTARIA DE)

Un jeune homme veut voir le match de football,
ое̃ jěnóm' vě vuar_ lě match dě futból,
Um rapaz quer ver o jogo de futebol,

mais il ne peut pas entrer.
mézil ně pě pazētrê.
mas não pode entrar.

Pourquoi ne peut-il pas entrer?
Pur_quá ně pětil pazētrê?
Por que ele não pode entrar?

Parce qu'il n'a pas de billet.
Pár_ss' quil na pad'bii'ê.
Porque ele não tem entrada.

Pourquoi n'achète-t-il pas un billet?
Pur_quá nachét'til pazо̃е bii'ê?
Por que ele não compra uma entrada?

Parce qu'il n'a pas assez d'argent.
Párss' quil na pazassê darjē̃.
Por que ele não tem dinheiro suficiente.

Sans argent il ne peut pas voir le match.
Sãzarjē̃ il' ně pě pá vuar_ lě match.
Sem dinheiro ele não pode ver o jogo.

S'il veut le voir, il doit payer.
Sil' vě lě vuar, il' duá peiê.
Se ele quer vê-lo, precisa pagar.

> *Querer, poder, precisar*
> Vouloir *("querer")*, pouvoir *("poder"*, *"ser capaz de")*
> e devoir *("precisar"*, *"dever")* combinam-se diretamente
> com o infinitivo do verbo seguinte, ou podem ser usados
> sozinhos.
>
> *Presente do indicativo*
>
> | vouloir | pouvoir | devoir |
> |---|---|---|
> | je veux | peux | dois |
> | tu veux | peux | dois |
> | il veut | peut | doit |
> | nous voulons | pouvons | devons |
> | vous voulez | pouvez | devez |
> | ils veulent | peuvent | doivent |

Mais voilà un de ses amis:
Mé vualá œ̌ dě sezami:
Lá está um de seus amigos:

"Dis-donc", lui dit-il, "veux-tu me prêter 10 francs
"Didõ", lůí ditil', "větů mě pretê di fr̄ã
"Ei" diz-lhe ele, "você me esprestaria 10 francos

pour aller voir le match?"
pur alê vuar lě match?"
para ir ver o jogo?"

> *Um convite*
> Voulez-vous? e veux-tu? servem para convidar ou dar
> uma ordem implícita.
> Voulez-vous une cigarette? = *Quer um cigarro?*
> Veux-tu fermer la fenêtre? = *Você poderia fechar
>   a janela?*

"Peut-être", dit-il. "Quand peux-tu me les rendre?"
"Pětétr̄"', ditil. "Cã pětů mě le r̄ēdr̄'?"
"Talvez", diz ele. "Quando você pode devolvê-los?"

"Oh! Demain, certainement, sans faute", répond son ami.
"Ô! Děmẽ, certén'mě, sã fôt'", repõ sõnami.
"Oh! Amanhã, é claro, sem falta", responde seu amigo.

Ma voiture ne peut pas démarrer.
Ma vuatůr' ně pě pá demarê.
Meu carro não está dando partida.

Pourquoi ne peut-elle pas démarrer?
Purquá ně pětél' pá demarê?
Por que ele não está dando partida?

Parce qu'il n'y a pas d'essence dans le réservoir.
Parss' quil ni a pá dessẽss' dãl' rezervuar.
Porque não tem gasolina no tanque.

Quand il n'y a pas d'essence dans le réservoir,
Cãtil ni a pá dessẽss' dãl' rezervuar,
Quando não tem gasolina no tanque,

le moteur ne peut pas marcher.
lě motóer ně pě pá marchê.
o motor não pode funcionar.

Il faut mettre de l'essence.
Il' fô métr dě lessẽss'.
É preciso pôr gasolina.

> **Il faut**
> *A expressão impessoal* il faut *é usada para traduzir a idéia de que alguém "deve" fazer alguma coisa, a idéia de "é necessário" ou "é preciso". Ela se combina com o infinitivo.*
> Il faut partir.
> *Precisamos partir.*
>
> Il faut entrer, le cours va commencer.
> *Devemos entrar, a aula vai começar.*
>
> *Combinada com o pronome complemento de objeto indireto, significa que alguém "precisa de" ou "deve ter" algo.*

Il me faut de l'argent.
Eu preciso de dinheiro.

Où peut-on acheter de l'essence?
U pĕtõ nachtê dĕ lessĕss'?
Onde se pode comprar gasolina?

On peut en acheter dans un poste d'essence (une station service).
Õ pĕ ēnachtê dã zœ̃ póst' dessĕss' (ůn' staciõ serviss').
Pode-se comprar gasolina em um posto.

> **Dans un poste d'essence**
> *Atente para as expressões-chave referentes a postos de gasolina:*
> *Encha o tanque* = Faites le plein
> *Verifique o óleo* = Vérifiez l'huile
> *Verifique os pneus* = Vérifiez les pneus
> *Verifique a bateria* = Vérifiez la batterie
> *Isto não está funcionando bem* = Ceci ne marche pas bien
> *O senhor pode consertá-lo?* = Pouvez-vous le réparer?
> *É preciso trocar este pneu* = Il faut changer ce pneu
> *Por quanto tempo precisamos esperar?* = Combien de temps faut-il attendre?

Deux jeunes filles sont en difficulté.
Dĕ jĕn' fii'es sõ tē dificůltê.
Duas moças estão com um problema.

Un pneu de leur voiture est à plat.
Œ̃ pnĕ dĕ lóer vuatůr' éta plá.
Um pneu do carro delas está murcho.

Elles ne peuvent pas changer la roue parce qu'elles n'ont pas de cric.
Él' nĕ pĕv' pá chãjê la ru parss' quél' nõ pad' cric.
Elas não podem trocar o pneu porque não têm macaco.

Mais voilà un jeune homme qui arrive dans une voiture de sport.
Mé vualá œ̃ jĕnóm' qui ariv' dãzůn' vuatůr dĕ spór'.
Eis que chega um rapaz em um carro esporte.

Il leur demande: — Puis-je vous aider?
Il' loer dĕmãd': — Pŭij' vuzedê?
Ele lhes pergunta: — Posso ajudá-las?

"Certainement! Pouvez-vous nous prêter un cric?"
"Certén'mē! Puvê vu nu pretê œ̃ cric?"
"É claro! Pode nos emprestar um macaco?"

"Mais je peux faire encore mieux", dit-il,
"Mé jĕ pĕ fér ēcór miĕ", ditil,
"Eu posso fazer mais que isso", diz ele,

je peux moi-même vous changer la roue.
jĕ pĕ muá mém' vu chãjê la ru.
eu posso trocar o pneu para vocês.

Que faut-il faire si nous voulons aller au cinéma?
Quĕ fotil fér si nu vulõzalê o cinemá?
O que devemos fazer se queremos ir ao cinema?

Il faut acheter des billets.
Il' fô tachtê de bii'ê.
Devemos comprar entradas.

Si la télévision ne marche pas, que faut-il faire?
Si la televiziõ nĕ march' pá, quĕ fotil fér?
Se a televisão não funciona, o que se deve fazer?

Il faut la faire réparer.
Il' fô la fér reparê.
É preciso consertá-la.

> *"Mandar fazer"*
> *"Mandar fazer" algo é expresso pelo verbo* faire *seguido pelo verbo que traduz a ação desejada, no infinitivo. Para suas viagens, essas expressões são especialmente úteis nos hotéis.*
> Voules-vous faire repasser ceci?
> *Por favor, mande passar isto.*

Voulez-vous faire monter un petit déjeuner?
Por favor, mande subir um café da manhã.

Em ambos os casos usa-se faire *porque não se espera que a pessoa com quem se está falando execute a ação.*

Observe
Nas frases francesas não foi usada a expressão s'il vous plaît, *que significa* por favor. *Contudo, a forma interrogativa é usada por polidez, substituindo a expressão* s'il vous plaît.

CONVERSAÇÃO: UM PROGRAMA DE TELEVISÃO

ROGER:
Rojê:
ROGER:
Vous savez, on va donner
Vu savê, õ vá donê
Sabe, vão apresentar

une émission très intéressante,
ůnemissiõ tré zẽteressãt',
um programa muito interessante,

ce soir, à la télé.
cě suar, a la telê.
hoje à noite, na televisão.

Malheureusement, je ne peux pas la voir
Malěrěz'mẽ, jěn' pě pá la vuar
Infelizmente, não poderei vê-lo

parce que mon poste ne marche pas.
párss' quě mõ póst' ně march' pá.
porque meu aparelho não está funcionando.

ALBERT:
Albér:
ALBERT:
Voyons... téléphonez donc au service de réparations.
Vuaiõ... telefonê dõc o serviss' dě rěparaciõ.
Bem... telefone então à oficina de consertos.

ROGER:
> À quoi bon? Vous savez bien
> **A quá bõ? Vu savê biẽ**
> *De que adianta? Você sabe muito bem*
>
> qu'ils ne peuvent jamais venir tout de suite.
> **quil' nẻ pẻv' jamé vẻnir tud' sůit'.**
> *que eles nunca podem vir imediatamente.*

ALBERT:
> Alors, si vous tenez vraiment à voir
> **Alór, si vu tẻnê vrémẽ tavuar**
> *Então, se você faz mesmo questão de assistir*
>
> cette émission, venez chez moi.
> **cétemissiõ, vẻnê chê muá.**
> *a esse programa, venha à minha casa.*

ROGER:
> C'est gentil, mais je ne veux pas vous déranger.
> **Cé jẽti, mé jẻn' vẻ pá vu derãjê.**
> *Você é gentil, mas eu não quero incomodá-lo.*

ALBERT:
> Mais je vous en prie, vous ne me dérangez pas du tout.
> **Mé jẻ vuzẽpri, vun' mẻ derãjê pá dủ tu.**
> *Imagine, você não vai me incomodar de modo algum.*
>
> D'ailleurs, si c'est si intéressant,
> **Daiốer, si cé si ẽteressã,**
> *Além disso, se é tão interessante,*
>
> moi aussi je voudrais la voir.
> **muá ossi jẻ vudré la vuar.**
> *eu também gostaria de vê-lo.*

> *"Eu quero", "eu gostaria"*
> *"Eu quero" se traduz por* je veux *e "eu gostaria" por* je voudrais. *A segunda forma é o condicional, sendo*

125

muito freqüente em conversação, já que é uma das formas de polidez. Vamos retomar isso màis tarde, em um Passo mais avançado.

Nous pouvons la regarder ensemble.
Nu puvõ la r̥ẻgar̥dê ẽssẽbl'.
Podemos vê-lo juntos.

Au fait, qu'est-ce que c'est que cette émission?
O fét', quéss' quẻ cé quẻ cétemissiõ?
A propósito, de que se trata?

ROGER:
C'est le Festival de Cannes
Cé lẻ Festival' dẻ Cán'
É o Festival de Cannes

transmis directement avec toutes les vedettes.
tr̥ãsmi dir̥éctẻmẽ avéc tut' le vẻdét'.
transmitido diretamente, com todas as estrelas.

ALBERT:
A quelle heure est-ce que ça commence?
A quélóer̥ éss' quẻ ça comẽss'?
A que horas ele começa?

ROGER:
A neuf heures précises.
A nœvóer̥ pr̥eciz'.
Às nove horas em ponto.

ALBERT:
Alors, nous pouvons dîner d'abord.
Alór̥, nu puvõ dinê dabór̥.
Então, podemos jantar antes.

ROGER:
Volontiers, mais je voudrais vous inviter.
Volõtiê, mé jẻ vudr̥é vuzẽvitê.
Com prazer, mas eu gostaria de convidá-lo.

ALBERT:
Mais non, je vous en prie.
Mé nõ, jẽ vuzẽpri.
Ah! não, por favor.

ROGER:
Si, j'insiste.
Sí, jẽssist'.
Sim, eu faço questão.

> **Si** — *um "sim" enfático*
> Si é a forma utilizada para uma resposta afirmativa a uma pergunta ou asserção negativa. Ela é mais forte do que oui, na medida em que afirma, contradizendo uma negação anterior.
> Recusas por polidez são comuns, no caso de convites; assim si é muito útil, da mesma forma que je vous en prie, que pode significar "por favor", "não há de quê", "de nada", "não é necessário" e "não se incomode", de acordo com as circunstâncias.

ALBERT:
Alors, si vous insistez, je ne peux pas refuser.
Alór, si vuzẽssistê, jẽn' pẽ pá rẽfůzê.
Bem, se você insiste não posso recusar.

ROGER:
Très bien. Nous pouvons dîner
Tré biẽ. Nu puvõ dinê
Muito bem. Nós podemos jantar

dans un petit restaurant du quartier tout près d'ici.
dãzœ̃ pti restorã dů cartiê tu pré dici.
num pequeno restaurante do bairro, bem perto daqui.

On n'y mange pas mal.
Õ ni mãj' pá mal'.
Come-se razoavelmente bem lá.

Allons-y tout de suite.
Alõzi tud' sůit'.
Vamos agora mesmo.

ALBERT:
Oui, il faut dîner vite
Uí, il' fô dinê vit'
Sim, precisamos jantar depressa

si nous ne voulons pas manquer le début de l'émission.
si nu ně vulõ pá mãquê lě debů dě lemissiõ.
se não quisermos perder o início do programa.

TESTE SEU FRANCÊS

Traduza estas frases para o português. Conte 10 pontos para cada tradução correta. Veja as respostas abaixo.

1. Il me faut de l'argent. _____

2. Il faut partir. _____

3. Allons-y tout de suite. _____

4. Voulez-vous dîner avec moi? _____

5. Peux-tu me prêter dix francs? _____

6. Je ne veux pas vous déranger. _____

7. Je voudrais le voir. _____

8. Viens chez moi. _____

9. Pourquoi n'achète-t-il pas un billet? _____

10. Parce qu'il n'a pas assez d'argent. _____

Respostas: 1. Preciso de dinheiro. 2. É preciso partir. 3. Vamos imediatamente. 4. Vocês querem jantar comigo? 5. Você pode me emprestar dez francos? 6. Eu não quero incomodá-los. 7. Eu gostaria de vê-lo. 8. Venha à minha casa. 9. Por que ele não compra um bilhete? 10. Porque ele não tem dinheiro suficiente.

Resultado: _____ %

passo 12 USO DOS VERBOS REFLEXIVOS

Monsieur Leblanc se lève de bonne heure.
Mĕssiĕ Lĕblā sĕ lév' dĕ bón œr.
O senhor Leblanc se levanta cedo.

Il se lave les dents, il se lave la figure, et il se rase.
Il sĕ lav' le dē, il' sĕ lav' la figŭr' e il' sĕ raz'.
Ele escova os dentes, lava o rosto e se barbeia.

> *Verbos reflexivos e pronomes*
> *Para escovar os dentes, lavar os dentes ou lavar o rosto, usam-se em francês os verbos pronominais reflexivos se brosser les dents, se laver les dents, se laver la figure, já que o sujeito pratica a ação em si mesmo. Por isso, esses verbos são chamados reflexivos. Os verbos se laver ("lavar-se") e s'habiller ("vestir-se") conjugam-se como o verbo s'appeler, apresentado no Passo 7. Seguem-se os pronomes reflexivos usados na conjugação de se laver, no presente do indicativo: je me lave, tu te laves, il se lave, nous nous lavons, vous vous lavez, ils se lavent.*

Ensuite il s'habille.
Ēsŭit il' sabii'e.
Depois, ele se veste.

> **H** *mudo*
> *Diante de h mudo, o e dá lugar ao apóstrofo, porque do ponto de vista do som a palavra se inicia por vogal.*

Un peu plus tard ses enfants se lèvent.
Œ̃ pĕ plŭ tar sezēfã sĕ lév'.
Um pouco mais tarde, seus filhos se levantam.

Ils se lavent, se peignent, se brossent les cheveux
Il' sĕ lav', sĕ pénh', sĕ br̲óss' le ch'vĕ
Eles se lavam, se penteiam, escovam os cabelos

et s'habillent en vitesse
e sabii'e ẽ vitéss'
e se vestem rapidamente

et puis ils se mettent à table
e pŭí il' sĕ mét' a tabl'
e depois se põem à mesa

pour prendre leur petit déjeuner.
pur̲ pr̃ĕdr̲ loer̲ pĕti dejĕnê.
para tomar seu café da manhã.

> *Café da manhã e almoço*
> petit déjeuner = *café da manhã*
> déjeuner = *almoço*

Pour leur petit déjeuner
Pur̲ loer̲ pĕti dejĕnê
No café da manhã

ils prennent du jus d'orange,
il pr̲én dŭ jŭ dor̲ãj,
eles tomam suco de laranja,

des petits pains avec du beurre et du café au lait.
de pti pẽ avéc' dŭ boer̲ e dŭ cafê o lé.
(comem) pãezinhos com manteiga e (tomam) café com leite.

> **À** *descritivo*
> À *combinado com o artigo definido pode significar "com", sobretudo se, como no caso de* café au lait, *houver referência a mistura, combinação. É bastante usado em vocabulário de restaurante.*

Après le déjeuner Monsieur Leblanc
Apré lẽ dejẽnê mẽssiẽ Leblã
Após o café o Sr. Leblanc

met son manteau et son chapeau
mé sõ mãtô e sõ chapô
coloca seu casaco e seu chapéu

et va à son bureau.
e va a sõ bůrô.
e vai a seu escritório.

Les enfants mettent leurs manteaux et leurs bérets.
Lezẽfã mét' loer mãtô e loer berê.
As crianças colocam seus casacos e suas boinas.

> *Plural com x*
> *Palavras que terminam em eau ou eu formam o plural em x, assim como as palavras que terminam em al. Daremos como exemplo duas palavras que são freqüentemente confundidas:*
>   un cheveu = *um (fio de) cabelo*
>   des cheveux = *cabelos*
>
>   un cheval = *um cavalo*
>   des chevaux = *cavalos*

Ils prennent leurs serviettes et vont à l'école.
Il' prén' loer sěrviét e võtalecól'.
Eles pegam suas pastas e vão à escola.

Alors, Madame Leblanc se sent fatiguée
Alór, Madám' Lěblã sě sẽ fatiguê
Então, a Sra. Leblanc se sente cansada

et elle se recouche pour se reposer.
e él' sě rěcuch' pur sě rěpozê.
e ela se deita novamente para repousar.

Bientôt elle s'endort.
Biẽtô él sẽdór.
Ela adormece logo.

> **Dormir e s'endormir**
> Dormir = *dormir;* s'endormir = *adormecer*
> Dormir *se conjuga como* sentir *(Passo 8):* je dors, tu dors, il dort, nous dormons, vous dormez, ils dorment.

En France, comme en Amérique,
ẽ Frãss', cómẽnameríc',
Na França, como na América,

on déjeune entre midi et deux heures,
õ dejẽn' ẽtr' midi e dẽzóer,
almoça-se entre o meio-dia e as duas horas,

mais pour beaucoup de Français
mé pur bocud' Frãcé
mas para muitos franceses

le déjeuner est le repas le plus important.
lẽ dejẽnê é lẽ rẽpá lẽ plůzẽportã.
o almoço é a refeição mais importante.

Souvent ils rentrent chez eux
Suvẽ il' rẽtr' chezẽ
Freqüentemente eles voltam para casa

> **Chez**
> chez = *na casa (ou no local de trabalho) de...*
> chez moi = *na minha casa*
> chez toi = *na tua casa (sua)*
> chez lui = *na casa dele*
> chez elle = *na casa dela*
> chez nous = *na nossa casa*
> chez vous = *na sua casa*
> chez eux = *na casa deles*
> chez elles = *na casa delas*

chez soi = *na própria casa*
chez le coiffeur = *no cabeleireiro*
chez le médecin = *no médico*
chez le dentiste = *no dentista*
chez le boulanger = *na padaria*
chez le pharmacien = *na farmácia*
Allons chez Henri = *Vamos à casa de Henri*

et retournent à leur bureau l'après-midi.
e rêturn' a loer bůrô lapré-midi.
e à tarde retornam a seus escritórios.

Dans beaucoup de villes françaises,
Dã bocud vil' frãcéz',
Em muitas cidades francesas,

les magasins ferment de midi à deux heures.
le magazẽ férm' dě midi a dězóer.
as lojas fecham do meio-dia às duas horas.

En France, on quitte son bureau
ẽ Frãss', õ quit sõ bůrô
Na França, deixa-se o escritório

à six heures ou même plus tard
a sizóer u mém' plů tar
às seis horas ou até mais tarde

et on rentre dîner chez soi, rarement avant huit heures.
e õ rêtr dinê chê suá, rar'mẽ avã ůitóer.
e volta-se para jantar em casa, raramente antes das oito horas.

> *Advérbios que terminam em* **ment**
> *Em português, muitos advérbios terminam em "mente". Temos, em francês, a terminação* ment. *Veja se você consegue reconhecer estes advérbios sem a tradução:*
> généralement, sûrement, énormément, possiblement, probablement, terriblement, rapidement.
> *Confira: geralmente, certamente, enormemente, possivelmente, provavelmente, terrivelmente, rapidamente.*

CONVERSAÇÃO: INDO PARA UM ENCONTRO DE NEGÓCIOS

— Dépêchez-vous. Il faut s'en aller.
Depechê vu. Il' fô sēnalê.
Apresse-se. É preciso partir.

Nous allons arriver en retard à la réunion.
Nuzalõza̱rivê ẽ ṟêtaṟ a la ṟeůniõ.
Vamos chegar atrasados à reunião.

— Ne vous inquiétez pas.
Nẽ vuzẽquietê pá.
Não se preocupe.

> *Verbos reflexivos descrevendo emoções*
> *Muitos dos verbos reflexivos denotam um estado emocional da personalidade de alguém.*
> s'inquiéter = *preocupar-se*
> se fâcher = *zangar-se*
> s'ennuyer = *aborrecer-se*
> s'énerver = *ficar nervoso*
> se calmer = *acalmar-se*

Nous avons encore presque une demi-heure.
Nuzavõ zēcóṟ pṟésqůn' děmióeṟ.
Ainda temos quase meia hora.

Nous ne voulons pas arriver trop tôt.
Nu nẽ vulõ paza̱rivê trô tô.
Não queremos chegar cedo demais.

> *Cedo ou tarde*
> *Há duas expressões para "cedo"* — de bonne heure *e* tôt.
> *Adiantado é* en avance. *Tarde é* tard. *Atrasado é* en re-

tard, *e chegar na hora certa é* arriver à l'heure. *Já que falamos de pontualidade, um antigo provérbio francês diz que:*
   L'exactitude est la politesse des rois.
   A pontualidade é a polidez dos reis.

— Mais la réunion se tient
   Mé la reüniõ sê tiẽ
   Mas a reunião é

   de l'autre côté de la ville.
   dê lotr' cotê dla vil'.
   no outro lado da cidade.

   Il faut vraiment se dépêcher.
   Il' fô vrémẽ sê depechê.
   É mesmo necessário nos apressarmos.

— Voyons, vous vous chargez
   Vuaiõ, vu vu charjê
   Vejamos, você se encarrega

   d'apporter les documents.
   daportê le docũmẽ.
   de trazer a documentação.

— Oui. Voilà la correspondance concernant le contrat.
   Uí. Vualá la corespõdãs' cõcernã lê cõtrá.
   Sim. Eis a correspondência relacionada ao contrato.

> ### Desinência verbal ant
> *O particípio presente do verbo termina em* ant *e é a forma adjetiva do verbo. É empregada em frases adverbiais, como adjetivo.*
>   Que c'est étonnant! = *É mesmo surpreendente!*
>   C'est fatigant! = *É cansativo!*
> *Já o gerúndio* (en marchant) *indica ações simultâneas.*
>   Il souriait, en marchant. = *Ele sorria, enquanto andava.*

— Mais le contrat lui-même —
Mé lě cõtrá lůí mém' —
Mas o contrato propriamente dito —

Mon Dieu! Où se trouve-t-il?
Mõ Diě! Uss' truv til?
Meu Deus! Onde está ele?

> **Se trouver = *"estar localizado"***
> Où se trouve-t-il? = *Onde se encontra? Onde está localizado? Onde está ele?*

— C'est vous qui l'avez — dans votre serviette.
Cé vu qui lavê — dã vótr serviét'.
Está com você — na sua pasta.

— Ah oui, je me souviens maintenant.
A uí, jěm' suviẽ mětnã.
Ah sim, agora eu me lembro.

Attendez-moi ici. Je vais chercher un taxi.
Atědê muá ici. Jě vé cherchê œ̃ tacsí.
Espere-me aqui. Vou buscar um táxi.

— Ne vous dérangez pas.
Ně vu derãjê pá.
Não se preocupe.

Il y a un taxi qui attend en bas devant la porte.
Iliá œ̃ tacsí qui atẽ ẽ bá děvã la pórt'.
Há um táxi esperando na porta, lá embaixo.

— Bon. Partons — et vite.
Bõ. Partõ — e vit.
Bem. Vamos embora — e rápido.

— Mais calmez-vous, mon cher.
Mé calmê vu, mõ chér.
Acalme-se, meu caro.

Et surtout — ne vous énervez pas pendant la réunion.
E sůrtú — ně vuzenervê pá pědã la reůniõ.
E sobretudo — não fique nervoso durante a reunião.

TESTE SEU FRANCÊS

Traduza estas sentenças para o português, usando os verbos reflexivos. Conte 10 pontos para cada resposta correta. Veja as respostas abaixo.

1. Eles se levantam cedo. _____
2. Ele se barbeia. _____
3. Ele lava o rosto. _____
4. Ela se sente cansada. _____
5. Ela adormece. _____
6. Não se preocupe. _____
7. Apresse-se. _____
8. Não fique nervoso. _____
9. Não se incomode. _____
10. Acalme-se. _____

Respostas: 1. Ils se lèvent de bonne heure. 2. Il se rase. 3. Il se lave la figure. 4. Elle se sent fatiguée. 5. Elle s'endort. 6. Ne vous inquiétez pas (Ne t'inquiète pas). 7. Dépêche-toi (Dépêchez-vous). 8. Ne vous énervez pas (Ne t'énerve pas). 9. Ne vous dérangez pas (Ne te dérange pas). 10. Calme-toi (Calmez-vous).

Resultado: _____ %

passo 13 PREFERÊNCIAS E OPINIÕES

Nous sommes au bord de la mer. C'est l'été.
Nu sóm' zo bór dě la mér. Cé letê.
Estamos à beira-mar. É verão.

La mer est bleue.
La mér é blě.
O mar está azul.

Le ciel est bleu clair.
Lě ciél é blě clér.
O céu está azul-claro.

Les nuages sont blancs.
Le nůáj' sõ blã.
As nuvens são brancas.

Trois jeunes filles se reposent sur la plage.
Truá jěn' fii'e sě rěpoz' sůr la plaj'.
Três moças descansam na praia.

Elles ne veulent pas nager.
Él ně věl' pá najê.
Elas não querem nadar.

L'eau est trop froide.
Lo é tro fruád'.
A água está fria demais.

Mais le soleil est très chaud.
Mé lě soléi é tré chô.
Mas o sol está muito quente.

Elles préfèrent prendre un bain de soleil sur le sable.
Él preférprêdr o̰e bẽ dê soléi sûr lê sabl'.
Elas preferem tomar um banho de sol na areia.

L'une d'elles a un costume de bain rouge.
Lůn dél' a o̰e costům' dê bẽ ruj'.
Uma delas usa um traje de banho vermelho.

> *Concordância dos adjetivos que indicam cor*
> *Alguns adjetivos que terminam em e não mudam no feminino; é o caso de* rose, rouge, jaune *e* beige *("rosa", "vermelho", "amarelo" e "bege").*
> Marron *e* orange *("marrom" e "laranja") são invariáveis. Os demais, como todos os adjetivos, concordam com o substantivo a que se referem, em gênero e número.*

La deuxième a un bikini vert.
La dêziém' a o̰e biquiní vér.
A segunda está com um biquíni verde.

La troisième porte un costume noir.
La truaziém' pórt o̰e costům' nuar.
A terceira está com um traje preto.

Devant les jeunes filles
Dêvã le jên' fii'e
Em frente às moças

quelques garçons sont en train
quélc' garçõ sõ tẽ trẽ
alguns rapazes estão

de jouer de la guitare et de chanter.
dê juê dla guitar ed chãtê.
tocando violão e cantando.

Les jeunes filles aiment entendre la musique.
Le jên' fii'e ém' ẽtẽdr la můzíc.
As moças gostam de ouvir a música.

Ça leur plaît beaucoup.
Ça loer plé bocu.
Isso lhes agrada muito.

> *Eu gosto disso — isso me agrada*
> Plaire — "agradar" — é usado com o objeto indireto.
> Em vez de dizer "eu gosto disso" diz-se "isso me agrada".
> *Aquilo me agrada. (Eu gosto daquilo.)*
> Cela me plaît.
>
> *Aqueles me agradam. (Eu gosto daqueles.)*
> Ceux-là me plaisent.

La blonde dit à la brune:
La blõd di a la brůn':
A loira diz à morena:

"Comme ils chantent bien, n'est-ce pas?"
"Cóm'il chãt biẽ, néss' pá?"
"Eles cantam muito bem, não é?"

"C'est vrai", lui répond son amie.
"Cé vré", lůi repõ sonami.
"É verdade", lhe responde sua amiga.

"Ils chantent tous bien
"Il' chãt' tuss biẽ
"Todos cantam bem

mais c'est celui de droite qui chante le mieux."
mé cé cělůí dě druat qui chãt lě miě."
mas aquele que está à direita é quem canta melhor."

> *Graus dos advérbios*
> *Veja como se formam o comparativo e o superlativo dos advérbios:*
>
> | lentement | — plus lentement | — le plus lentement |
> |---|---|---|
> | *lentamente* | *mais lentamente* | *o mais lentamente* |

Exceções:
bien — mieux — le mieux
bem   melhor   o melhor

mal — pis — le pis
mal   pior   o pior

"Tu te trompes", dit la blonde.
"Tů tě tr̲ŏp'", di la blŏd'.
"Você está enganada", diz a loira.

"Celui qui est à gauche chante mieux que lui."
"Cĕlůí qui é ta goch chãt miĕ quê lůí."
"O da esquerda canta melhor que ele."

Quand les garçons s'arrêtent de chanter, l'un d'eux dit aux autres:
Cã le ga̲r̲çõ sa̲r̲ét' dě chãtê, lœ̆ dě di ozôtr̲':
Quando os rapazes param de cantar, um deles diz aos outros:

"Elles sont jolies, hein, ces petites?"
"Él sõ joli, ẽ, ce ptit'?"
"São bem bonitas aquelas garotas, não é?"

> **Hein**
> *Trata-se de um equivalente a* n'est-ce pas *("não é?"), mas é usado em linguagem bem mais coloquial.*

"Moi, je trouve que la brune est la plus jolie."
"Muá, jě tr̲uv quě la br̲ůn' é la plů joli."
"Eu acho que a morena é a mais bonita."

"Pas moi", dit un autre,
"Pá muá", di œ̆nôtr̲,
"Eu não", diz um outro,

"à mon avis la blonde est plus jolie qu'elle."
"a monavi la blŏd é plů joli quél."
"na minha opinião, a loira é mais bonita do que ela."

"Je ne suis pas d'accord", dit le troisième. "C'est la rousse
"Jẽn' sũí pá dacór", di lẽ truaziém'. "Cé la russ'
"Eu não concordo", diz o terceiro. "É a ruiva

qui est la plus belle de toutes."
qui é la plủ bél' dẽ tut'."
que é a mais bonita de todas."

> *Graus dos adjetivos*
> *Forma-se o comparativo dos adjetivos com* plus *e o superlativo com* le plus *ou* la plus, *para o singular, e* les plus, *para o plural.*
>
> grand — plus grand — le plus grand
> *grande   maior   o maior*
>
> petit — plus petit — le plus petit
> *pequeno   menor   o menor*
>
> *Exceções:*
> bon — meilleur — le meilleur
> *bom   melhor   o melhor*
>
> mauvais — pire — le pire
> *ruim   pior   o pior*

CONVERSAÇÃO: FAZENDO COMPRAS

UNE DAME:
ůn dám':
UMA SENHORA:
Il faut acheter des cadeaux pour la famille et pour les amis.
Il' fo achtê de cadô pu̱r la famii'e e pu̱r lezami.
É preciso comprar presentes para a família e para os amigos.

Voilà un petit magasin, entrons.
Vualá õe pti magazẽ, ẽtṟõ.
Eis uma lojinha, vamos entrar.

LA VENDEUSE:
La vẽdễz':
A VENDEDORA:
Vous désirez, madame?
Vu dezi̱rê, madám'?
(O que) a senhora deseja?

LA DAME:
S'il vous plaît, montrez-nous quelques foulards.
Sil' vu plé, mõṯrê nu quélc' fulá̱r'.
Por favor, mostre-nos alguns lenços.

LA VENDEUSE:
En voilà deux, madame,
ẽ vualá dễ, madám',
Aqui estão dois, senhora,

en noir et blanc, et en bleu et vert.
ẽ nua̱r e blã, e ẽ blễ e vé̱r.
em preto e branco, e em azul e verde.

145

Est-ce qu'ils vous plaisent?
Éss' quil' vu pléz'?
Gosta deles?

LA DAME:
Celui-ci me plaît.
Cělůicí mě plé.
Este aqui me agrada.

Les couleurs me plaisent
Le culóer mě pléz'
Gosto das cores

et le dessin est plus joli. C'est combien?
e lě děssẽ é plů joli. Cé cõbiẽ?
e a estampa é mais bonita. Quanto custa?

LA VENDEUSE:
Cent cinquante-cinq francs.
Cẽ cẽcãt' cẽ frã.
Cento e cinqüenta e cinco francos.

LA DAME:
Tiens. C'est un peu cher.
Tiẽ. Cé tœ̃ pě chér.
Bom. É um pouco caro.

Avez-vous quelque chose de meilleur marché?
Avevu quélquě chôz' dě meii'óer marchê?
Você tem algo mais barato?

> *Algo mais barato — algo menos caro*
> bon marché = *barato*
> meilleur marché = *mais barato*
> moins cher = *menos caro*

LA VENDEUSE:
Oui. Mais pas en soie naturelle.
Uí. Mé pazẽ suá natůrél'.
Sim. Mas não em seda pura.

Nous en avons
Nuzẽnavõ
Temos alguns

en jaune, en rose, en orange, en marron, en violet...
ẽ jôn', ẽ r̠ôz', ẽnor̠ãj', ẽ mar̠õ, ẽ violé...
em amarelo, em rosa, em laranja, em marrom, em roxo...

C'est un peu moins cher — trente francs.
Cé tœ̃ pě muã chér̠ — tr̠ẽt fr̠ã.
É um pouco mais barato — trinta francos.

LA DAME:
Ils ne sont pas aussi jolis que les autres.
Il' ně sõ pá zossi joli quě lezotr̠'.
Não são tão bonitos quanto os outros.

> ***Comparativo de igualdade***
> Elle est aussi grande que lui.
> *Ela é tão alta quanto ele.*
>
> Il n'est pas aussi intelligent qu'elle.
> *Ele não é tão inteligente quanto ela.*

Quand même, achetons celui-ci, le violet,
Cã mém', achtõ cěůicí, lě violé,
Apesar disso, vamos comprar este, o roxo,

pour tante Isabelle.
pur̠ tãt Izabél'.
para tia Isabelle.

LE MARI:
Lě mar̠i:
O MARIDO:
D'accord. Et maintenant,
Dacór̠. E mẽtnã,
Tudo bem. E agora,

147

D'accord

D'accord, *que serve para indagar ou confirmar a concordância de opiniões, é muitas vezes traduzido em português por "tudo bem?" ou "tudo bem".*

Qu'est-ce que nous allons acheter pour maman?
Quéss' quê nuzalõzachtê pu_r mámã?
O que vamos comprar para mamãe?

LA VENDEUSE:

Regardez ce beau collier, monsieur.
Rěga_rdê cě bô coliê, měssiě.
Olhe este belo colar, senhor.

Il ne coûte que cent trente francs.
Il' ně cut quě cê trět fr_ã.
Ele custa apenas cento e trinta francos.

> ### Somente = ne... que
> *Para a restrição, usa-se freqüentemente a forma* ne... que, *equivalente ao português "somente" ou "só". O verbo vem entre* ne *e* que.
> Ce n'est que moi = *Sou só eu*

Il est charmant, n'est-ce pas?
Ilé cha_rmã, néss' pá?
É encantador, não é?

LA DAME:

Oui, vraiment ravissant.
Uí, vrémē _ravissã.
Sim, realmente maravilhoso.

Pourquoi ne pas l'acheter, mon chéri?
Pu_rquá ně pá lachtê, mõ che_ri?
Por que não o compramos, querido?

LE MARI:
C'est vrai. Pourquoi pas? Je le prends.
Cé vré. Purquá pá? Jě lě prē.
É mesmo. Por que não? Vou levá-lo.

Et maintenant je voudrais acheter
E mētnã jě vudré achtê
E agora eu gostaria de comprar

du parfum pour ma secrétaire.
dů parfœ̃ pur ma sěcretér'.
perfume para minha secretária.

LA VENDEUSE:
Cette grande bouteille-là — "Beau Rêve".
Cét grãd butéii'e lá — "Bô Rév".
Aquele vidro grande ali — "Beau Rêve".

LE MARI:
Oui, c'est cela. Voulez-vous me la montrer?
Uí, cé cělá. Vulê vum' la mõtrê?
Sim, é isso mesmo. Pode mostrá-lo para mim?

LA VENDEUSE:
Avec plaisir, monsieur.
Avéc plezir, měssiê.
Pois não, senhor.

LA DAME:
Vraiment, Alfred!
Vrémē, Alfrê!
Ora, Alfred!

Nous ne pouvons pas dépenser tant d'argent en cadeaux.
Nun' puvõ pá depēssê tã darjē ē cadô.
Não podemos gastar tanto dinheiro em presentes.

Pourquoi ne pas acheter ce petit flacon?
Purquá ně pazachtê cě pti flacõ?
Por que não compramos este frasco pequeno?

On peut le mettre dans son sac à main.
Ô pě lě métr' dã sõ sac à mẽ.
Pode-se colocá-lo na bolsa.

C'est très pratique.
Cé tré pratíc'.
É muito prático.

LE MARI:
Bon. Alors — je prends le petit flacon.
Bõ. Alór — jě prẽ lě pti flacõ.
Bom. Então — vou levar o frasco pequeno.

LA VENDEUSE:
Voulez-vous essayer "Beau Rêve", madame?
Vulê vu esseiê "Bô Rév", madám'?
Quer experimentar "Beau Rêve", senhora?

Ça sent bon, n'est-ce pas?
Ça sẽ bõ, néss' pá?
Que cheiro bom, não é?

LA DAME:
Oh oui, c'est exquis! Est-ce que c'est cher?
O uí, cétecsquí! Éss' quě cé chér?
Ah sim, é delicioso! É caro?

LA VENDEUSE:
C'est notre meilleur parfum.
Cé nótr meii'óer parfőe.
É nosso melhor perfume.

Il coûte cent quatre-vingt quinze francs.
Il' cut' cẽ catr vẽ quẽz frã.
Custa cento e noventa e cinco francos.

LE MARI:
Ça ne fait rien. Je le prends pour ma femme.
Çan' fé riẽ. Jě lě prẽ pur ma fám'.
Não importa. Vou levá-lo para minha mulher.

LA DAME:
   Ça, c'est chic! Merci, mon chou.
   Ça, cé chic! Me̱rci, mõ chu.
   Que gentil! Obrigada, queridinho.

> *Expressão de carinho e insulto*
> *Palavras de carinho (ou insulto) podem variar supreendentemente de um idioma para outro.* Mon chou *("meu repolho") ou* mon petit chou *é uma forma de expressar carinho, como* mon chéri *e* ma chérie *para um homem e para uma mulher, respectivamente,* mon amour *("meu amor"),* mon trésor *("meu tesouro") e* mon âme *("minha alma"). Do lado oposto, algumas palavras especialmente insultuosas em francês são:* vache *("vaca"),* chameau *("camelo") e* cochon *("porco").*

TESTE SEU FRANCÊS

Preencha as lacunas com as formas verbais adequadas. Conte 10 pontos para cada resposta correta. Veja as respostas a seguir.

1. Eu gosto disso.
   Cela me _____

2. Ela gosta daqueles.
   Ceux-là lui _____

3. Vamos entrar.
   _____

4. Vamos comprar este aqui.
   _____ celui-ci.

5. Ele custa oitenta francos.
   Il _____ quatre-vingts francs.

6. Eles cantam muito bem.
   Ils _____ très bien.

7. Mostre-nos alguns lenços.
   _____ quelques foulards.

8. Elas estão usando óculos de sol.
   Elles _____ des lunettes de soleil.

9. Ela tem um biquíni verde.
   Elle _____ un bikini vert.

10. Vocês estão enganados.
    Vous vous _____

Respostas: 1. plaît; 2. plaisent; 3. Entrons; 4. Achetons; 5. coûte; 6. chantent; 7. Montrez-nous; 8. portent; 9. a; 10. trompez.

Resultado: _____ %

passo 14 COMPRAS NO MERCADO E NOMES DE ALIMENTOS

Madame Delatour va au marché.
Madám' Dêlatur va o marchê.
Madame Delatour vai ao mercado.

Elle va acheter de la viande,
Él va achtê dla viãd',
Ela vai comprar carne,

de la charcuterie, des légumes et des fruits,
dla charcûtrí, de legůmes e de frůí,
frios, legumes e frutas,

du poisson et du pain
dů puassõ e dů pẽ.
peixe e pão.

> *Artigos partitivos*
> *Não têm tradução em português e são usados, em francês, para designar uma quantidade não definida, parte de algo, como indica seu nome.*
>   de la viande
>   du café
>   des légumes
>   de l'eau

Elle va d'abord chez le boucher.
Él va dabór chê lê buchê.
Ela vai primeiro ao açougue.

Elle demande au boucher:
Él dĕmãd' o buchê:
Ela pergunta ao açougueiro:

"Avez-vous du filet de boeuf bien tendre?"
"Avê vu dŭ filéd bĕf biẽ tẽndr̲?"
"O senhor tem filé bem macio?"

Le boucher lui répond: "Oui, madame.
Lĕ buchê lŭi r̲epõ: "Uí, madám'.
O açougueiro lhe responde: "Sim, senhora.

Je vous prépare un rôti de deux kilos environ."
Jĕ vu pr̲epar' œ̃ r̲oti dĕ dĕ quilô zẽvir̲õ."
Vou lhe preparar um assado de cerca de dois quilos."

Elle achète aussi des escalopes de veau et des biftecks.
Élachétossi dezescalóp' dĕ vô e de biftéc.
Ela compra também escalopes de vitela e bifes.

Chez le charcutier, elle achète du jambon,
Chê lĕ char̲cŭtiê, élachét' dŭ jãbõ,
No açougue de suínos, ela compra presunto,

des côtelettes de porc et de la tête de veau.
de cotlét' dĕ pór̲c e dla tét' dĕ vô.
costeletas de porco e miolo de vitela.

> *A cozinha francesa*
> *Algumas especialidades francesas podem parecer estranhas para o nosso gosto; no entanto, são deliciosas. Tetê de veau, por exemplo, é um misto dos miolos, da língua e da parte lateral da cabeça do bezerro. Podemos citar ainda outras especialidades peculiares, tais como* cuisses de grenouille *("pernas de rã"),* escargots *("caracóis"),* tripes *("tripas") e* ris de veau *("timo de vitela").*

Puis elle va chez le marchand de légumes
Pŭí él' vá chê lĕ mar̲chãd' legŭm'
Depois ela vai à quitanda

pour acheter des pommes de terre, des haricots verts,
pu_r achtê de póm dė té_r, de a_ricô vé_r,
para comprar batatas, vagem,

une laitue et un kilo de tomates.
ûn' letů e œ̃ quilôd' tomát.
um pé de alface e um quilo de tomates.

"C'est combien le kilo de prunes aujourd'hui?",
"Cé cõbiẽ lė quilôd' pru̅n ojurdůí?",
"Quanto está custando o quilo de ameixas hoje?",

demande-t-elle au marchand.
dėmãdėtél o ma_rchã.
pergunta ao quitandeiro.

Elle achète aussi des poires, des bananes et des pêches.
Él' achétossí de pua_r', de banán' e de péch.
Ela compra também peras, bananas e pêssegos.

Chez l'épicier, elle achète du riz,
Chê lepiciê, élachét' dů r̲i,
Na mercearia, ela compra arroz,

des nouilles, du café et du sucre.
de nuii'e, dů cafê e dů sůc_r'.
macarrão, café e açúcar.

Chez la crémière, elle achète du lait,
Chê la c_remiér, élachét' dů lé,
Na loja de laticínios ela compra leite,

du beurre, de la crème et une douzaine d'oeufs.
dů bœ_r, dė la c_rém' e ûn' duzén' dė̃.
manteiga, creme de leite e uma dúzia de ovos.

Puis elle passe chez le marchand de poisson
Půí él' páss' chê lė ma_rchãd' puassõ
Em seguida ela passa pela peixaria

pour acheter des truites,
pu_r achtê de tr_uít',
para comprar trutas,

des huîtres et un homard.
dezůítr' e œ̃ omar.
ostras e uma lagosta.

"C'est bien frais tout cela?",
"Cé biẽ fré tu cêlá?",
"Está tudo bem fresco?",

demande-t-elle au marchand.
děmãdětél o marchã.
pergunta ao peixeiro.

— Enfin, chez le boulanger, elle demande:
ẽfẽ, chê lě bulãjê, él děmãd':
Finalmente, na padaria, ela pede:

> **Les marchands du quartier — *"lojas do bairro"***
> *Para designar uma loja em francês, pode-se usar* chez, *seguido pela designação do lojista. É a forma mais usada em conversação; contudo, os nomes que aparecem nas lojas terminam em* ie *e são femininos.*
> boucherie = *açougue*
> pâtisserie = *loja de massas*
> boulangerie = *padaria*
> pharmacie = *farmácia*
> charcuterie = *loja de frios, açougue de carne de suíno*
> laiterie = *loja de laticínios*
> teinturerie = *tinturaria*
> bijouterie = *joalheria*
> papeterie = *papelaria*

"Une baguette bien fraîche, s'il vous plaît, Monsieur Dupin."
"ůn' baguét biẽ fréch', sil vu plé, Měssiě Důpẽ."
"Uma bengala bem fresquinha, por favor, senhor Dupin."

Le boulanger répond:
Lĕ bulãjê repõ:
O padeiro responde:

"Nos baguettes sortent du four,
"No baguét' sórt' dŭ fur,
"Nossas bengalas estão saindo do forno,

elles sont encore toutes chaudes."
él' sõtẽcór tut' chod'."
e ainda estão bem quentes."

La dame rentre chez elle
La dám' rẽtr chezél'
A senhora volta para casa

avec la voiture chargée de provisions.
avéc la vuatŭr charjê dĕ provisiõ.
com o carro carregado de mantimentos.

Elle en a assez pour toute la semaine.
Él' ẽna assê pur tut' la smén'.
Ela tem o suficiente para a semana inteira.

CONVERSAÇÃO: NO RESTAURANTE

UN CLIENT:
õẽ cliẽ:
UM FREGUÊS:
   Est-ce que cette table est libre?
   Éss' quẽ cét' tábl' é lib_r_?
   Essa mesa está livre?

UNE SERVEUSE:
ůn' se_r_vẽz:
UMA GARÇONETE:
   Mais oui, monsieur. Asseyez-vous, s'il vous plaît.
   Mé uí, mẽssiẽ. Asseiê vu, sil vu plé.
   Mas é claro, senhor. Sente-se, por favor.

   Voici la carte.
   Vuaci la ca_rt_'.
   Eis o cardápio.

LE CLIENT:
   Merci. Pour commencer je voudrais
   Me_r_ci. Pu_r_ comẽcê jẽ vud_r_é
   Obrigado. Para começar eu gostaria

   des hors d'oeuvre variés.
   de ó_r_dẽv_r_' va_r_iê.
   de umas entradas sortidas.

LA SERVEUSE:
   Pas de potage?
   Pád' potáj'?
   Não vai querer sopa?

Nous avons une excellente soupe à l'oignon.
Nuzavõzŭn' ecselēt sup' aluanhõ.
Temos uma sopa de cebola excelente.

LE CLIENT:
Merci, pas de potage.
Merci, pád' potáj'.
Obrigado, sopa não.

Quel est votre plat du jour?
Quélé vótr' plá dŭ jur?
Qual é o prato do dia?

LA SERVEUSE:
Aujourd'hui nous recommandons la sole meunière,
Ojurdŭí nu rĕcomãdõ la sól' mĕniére,
Hoje aconselhamos o linguado à "meunière",

le coq au vin,
lĕ cóc o vẽ,
galo ao vinho,

le gigot d'agneau aux flageolets,
lĕ jigô danhô o flajolê,
o pernil de cordeiro com feijões,

ou le boeuf à la mode.
u lĕ bĕf a la mód'.
ou o bife à moda.

LE CLIENT:
Qu'est-ce que c'est que le boeuf à la mode?
Quéss' quĕ cé quĕ lĕ bĕf ala mód'?
Como é o bife à moda?

> **À la mode**
> *A expressão* à la mode de... *que significa "à moda de", "ao estilo de", "à maneira de", é freqüentemente encontrada em cardápios, como por exemplo* à la mode de

Caen — *"à maneira de Caen"*. *Como em português, é possível também deixar de lado a palavra* mode *e dizer:*
  à la provençale = *à provençal*
  à l'alsacienne = *à alsaciana*
  à l'américaine = *à americana*
  à l'anglaise = *à inglesa*
  à la russe = *à moda russa*
e até mesmo usar nomes de pessoas famosas.
Como a França tem uma enorme tradição de alta cozinha, não é incomum, mesmo para franceses, pedir explicações sobre um prato: "O que é isso?" — qu'est-ce que c'est que ça? — *ou "Como é preparado?"* — comment est-ce préparé?

LA SERVEUSE:

C'est du boeuf braisé
Cé dů bềf b<u>r</u>ezê
É bife na brasa

avec des champignons
avéc de chãpinhõ
com cogumelos

et des légumes frais.
e de legům' f<u>r</u>é.
e legumes frescos.

LE CLIENT:

Je crois que je préfère
Jề c<u>r</u>uá quề jề p<u>r</u>efé<u>r</u>'
Acho que eu prefiro

une entrecôte bordelaise
ůn' ễt<u>r</u>ecot bo<u>r</u>deléz'
uma costeleta à bordalesa

avec des pommes de terre frites.
avéc de póm' dề té<u>r</u> f<u>r</u>it'.
com batatas fritas.

"Batatas" e "maçãs"
A palavra pomme *é usada para "batata" e "maçã". Contudo, a palavra completa para "batata" é* pomme de terre. *Entre os nomes de pratos com batatas temos:*
  purée de pommes = *purê de batatas*
  pommes en robe de chambre = *batatas assadas com casca*

LA SERVEUSE:
Très bien, monsieur.
Tré biẽ, mẽssiẽ.
Muito bem, senhor.

Comment désirez-vous l'entrecôte,
Comẽ desirê vu lẽtr̥ẽcót,
Como vai querer a costeleta,

bien cuite, à point ou saignante?
biẽ cůit', a puẽ u senhãt'?
bem passada, ao ponto ou malpassada?

LE CLIENT:
Plutôt saignante, s'il vous plaît.
Plůtô senhãt', sil vu plé.
De preferência malpassada, por favor.

LA SERVEUSE:
Désirez-vous des légumes ou une salade?
Desirê vu de legům' u ůn' salád'?
O senhor vai querer legumes ou uma salada?

LE CLIENT:
Quels légumes avez-vous?
Quél legům' avê vu?
Que legumes vocês têm?

LA SERVEUSE:
> Des carottes, des petits pois, du chou-fleur,
> **De car_ót', de pti puá, dů chuflóer_,**
> *Cenouras, ervilhas, couve-flor,*

> des asperges, des haricots verts.
> **dezaspér_j', de a_ricô vér_'.**
> *aspargos, vagem.*

LE CLIENT:
> Apportez-moi une salade verte
> **Apor_tê muá ůn' salad vert_'**
> *Traga-me uma salada (de folhas)*

> avec de l'huile, du vinaigre et de la moutarde,
> **avéc dě lůíl', dů vinégr_' e dla mutar_d',**
> *com azeite, vinagre e mostarda,*

> mais sans sel.
> **mé sã sél.**
> *mas sem sal.*

LA SERVEUSE:
> Et comme vin?
> **E cóm vẽ?**
> *E o vinho?*

LE CLIENT:
> Du vin rouge — du Beaujolais.
> **Dů vẽ _ruj' — dů Bojolé.**
> *Vinho tinto — Beaujolais.*

LA SERVEUSE:
> Parfaitement, monsieur. Tout de suite.
> **Par_fétmẽ, měssiě. Tudsuit'.**
> *Perfeito, senhor. Imediatamente.*

LA SERVEUSE:
Voulez-vous du dessert ou du fromage?
Vulê vu dů dessér u dů fromáj'?
O senhor vai querer sobremesa ou queijo?

LE CLIENT:
Qu'est-ce que vous avez comme dessert?
Quéss' quê vuzavê cóm' dessér?
O que é que tem de sobremesa?

LA SERVEUSE:
Crème au caramel,
Crém' o caramél,
Pudim de caramelo,

des glaces à la vanille, au chocolat, ou à la framboise,
de gláss' a la vanii'e, o chocolá, u a la frābuáz',
sorvetes de baunilha, de chocolate ou de framboesa,

des fruits frais, de la pâtisserie;
de frůí fré, dla patissri;
frutas frescas, doces;

nous avons aussi une salade de fruits au kirsch.
nuzavõ zossi ůn' saláp dě frůí o quirch.
temos também salada de frutas com kirsch.

LE CLIENT:
C'est ça, j'ai envie d'une salade de fruits.
Cé ça, jé ẽvi důn' saláp dě frůí.
É isso mesmo, estou com vontade de comer salada de frutas.

Mais avant, je voudrais du fromage...
Mé avã, jě vudré dů fromáj'...
Mas antes eu gostaria de um pouco de queijo...

du camembert ou du roquefort.
dů camēbér u dů rócfór.
Camembert ou Roquefort.

LA SERVEUSE:
Je vous apporte le plateau de fromages.
Jě vuzapórt lě platôd' fromáj'.
Vou trazer a bandeja de queijos.

LE CLIENT:
Mademoiselle, un café
Madmuazél, œ̌ cafê
Senhorita, um café

et l'addition, s'il vous plaît.
e ladiciõ, sil vu plé.
e a conta, por favor.

Est-ce que le service est compris?
Éss' quě lě serviss' é cõprí?
O serviço está incluído?

LA SERVEUSE:
Oui, monsieur.
Uí, měssiě.
Sim, senhor.

Êtes-vous satisfait de votre déjeuner?
Ét' vu satisfé dě vótr' dejěnê?
O almoço foi satisfatório?

LE CLIENT:
Ah oui, un très bon déjeuner. Tenez.
A uí, œ̌ tré bõ dejěnê. Těnê.
Ah sim, um almoço muito bom. Tome.

LA SERVEUSE:
Je vous rapporte la monnaie dans un instant.
Jě vu rapórt' la moné dãzœ̌ něstã.
Eu lhe trago o troco em um instante.

LE CLIENT:
 Ce n'est pas la peine. C'est pour vous.
 Cě né pá la pén'. Cé pu_r vu.
 Não é necessário. É para você.

LA SERVEUSE:
 Merci, monsieur. Au plaisir de vous revoir.
 Me_rci, měssiě. O plezi_rd' vu rěvua_r.
 Obrigada, senhor. Será um prazer revê-lo.

TESTE SEU FRANCÊS

Ligue os alimentos da coluna da esquerda à tradução, na coluna da direita.

1. des hors d'œuvre variés   pernil de carneiro com feijões

2. soupe à l'oignon   pernas de rã

3. le coq au vin   timo de vitela

4. le gigot d'agneau aux flageolets   tortas

5. des cuisses de grenouille   pudim de caramelo

6. des escargots   galo ao vinho

7. des ris de veau   queijo

8. crème au caramel   sopa de cebola

9. du fromage   entradas sortidas

10. de la pâtisserie   caracóis

Respostas: 4, 5, 7, 10, 8, 3, 9, 2, 1, 6

Resultado: _____ %

passo 15 USO DO TRATAMENTO FAMILIAR (*TU*)

Voici quelques exemples de l'emploi de *tu*:
Vuaci quélquezegzẽpl' de l'ẽpluá de tủ:
Eis alguns exemplos do emprego de tu *(tratamento familiar):*

> *O tratamento familiar* **tu** *equivalente a "você"*
> Tu *é usado como tratamento familiar, correspondente a "você". A forma verbal no presente do indicativo é a mesma usada para a primeira pessoa, excetuando-se os verbos do 1º grupo (a que é acrescentado um -s) e os verbos* être *e* avoir, *cujas formas são respectivamente* tu es *e* tu as. *A forma para o pronome objeto é* te, *mas após preposição, ou para reforço, usa-se* toi. *Quanto aos pronomes adjetivos, temos para o possessivo:* ton *(objeto masculino singular),* ta *(objeto feminino singular) e* tes *(objeto masculino ou feminino plural).*
> *Lingüisticamente,* tu *é equivalente a "tu", pouco usado na maioria das regiões brasileiras, mas de uso corrente em francês.*

Tu s'emploie en famille:
Tủ sẽpluá ẽ famii'e:
Tu *é usado para pessoas da mesma família:*

UNE MÈRE:
ủn' mér:
UMA MÃE:
    Écoute-moi! Finis ton pain!
    Ecut' muá! Fini tõ pẽ!
    Ouça-me! Acabe o seu pão!

SA FILLE:
Sa fii'e:
SUA FILHA:
Mais je n'ai pas faim, maman.
Mé jě né pá fẽ, mámã.
Mas eu não estou com fome, mamãe.

LA MÈRE:
Alors, bois ton lait. Dépêche-toi!
Alór, buá tõ lé. Depéch' tuá!
Então, beba seu leite. Apresse-se!

> *Imperativo*
> *A desinência verbal para* tu *no imperativo é a mesma do presente do indicativo, salvo para os verbos do 1º grupo, quando se elimina o* -s. *No imperativo dos verbos pronominais,* te *torna-se* toi *como em* dépêche-toi — *"apresse-se". Na forma negativa, permanece o* te: ne te dépêche pas — *"não se apresse".*

LA FILLE:
Je n'ai pas soif non plus.
Jě né pá suaf nõ plů.
Também não estou com sede.

LA MÈRE:
Fais ce que je te dis! Et tout de suite!
Féss' quě jě tě di! E tud' sůit!
Faça o que eu estou mandando! E imediatamente!

LA FILLE:
Mais, maman, pourquoi faut-il manger tellement?
Mé, mámã, purquá fotil mãjê tél'mẽ?
Mas, mamãe, por que é preciso comer tanto assim?

Je ne veux pas grossir.
Jěn' vě pá grossir.
Eu não quero engordar.

Les jeunes gens se tutoient:
Le jôn' jẽ sẻ tůtuá:
Os jovens se tratam por tu:

> **Tratamento íntimo**
> *O verbo* tutoyer *significa "usar o tratamento tu" — em outras palavras, um tratamento íntimo, familiar.*

— Salut, Gérard, ça va?
Salů, Ger_ár, ça vá?
Oi, Gérard, tudo bem?

— Ça va pas mal, François, et toi?
Ça va pá mal', Frãçuá, e tuá?
Nada mal, François, e você?

— Oh, sans histoires!
Ô, sãzistuár_'!
Oh, sem problemas!

— Dis donc!
Di dõ!
Olhe!

Tu sais qu'il y a une surprise-partie
Tů sé quiliá ůn' sůrpr_íz' part_í
Sabe que há uma festa-surpresa

chez Robert ce soir?
chê Rob_ér cẻ suar_?
na casa de Robert hoje à noite?

Tu y vas?
Tů i vá?
Você vai lá?

— Non, je ne suis pas invité.
Nõ, jẻ nẻ sůí pazẽvitê.
Não, não fui convidado.

— Ça n'a pas d'importance,
   Ça na pá dẽpo̱rtãss',
   Não importa,

   je t'invite.
   jẻ tẽvit'.
   eu convido você.

   Viens-y avec moi.
   Viẽzi avéc muá.
   Venha comigo.

   Mais... apporte une bouteille.
   Mé... apó̱rt' ůn butéii'e.
   Mas... traga uma bebida.

Les amoureux se tutoient:
Lezamu̱rẻ sẻ tůtuá:
Os namorados se tratam por tu:

ELLE:
Él':
ELA:

   Est-ce que tu m'aimes vraiment?
   Éss' quẻ tů mém' vrémẽ?
   Você me ama mesmo?

LUI:
Lůí:
ELE:

   Bien sûr. Je t'aime vraiment.
   Biẽ sů̱r. Jẻ tém' vrémẽ.
   Claro. Eu amo você de verdade.

ELLE:
   Est-ce que tu vas m'aimer toujours?
   Éss' quẻ tů va mémê tuju̱r'?
   Você vai me amar sempre?

LUI:
> Peut-être — qui sait?
> **Pětétr̲' — qui sé?**
> *Talvez — quem sabe?*

ELLE:
> Pourquoi dis-tu "peut-être"?
> **Pur̲quá di tů "pětétr̲"?**
> *Por que você diz "talvez"?*

> Tu es une brute.
> **Tů é ůn br̲ut'.**
> *Você é um bruto.*

> Je te déteste!
> **Jě tě detést'!**
> *Eu detesto você!*

Tu s'emploie quand on parle aux enfants:
Tů sěpluá cãtõ par̲l' ozẽfã:
Tu é usado quando se fala com crianças:

UNE DAME:
ůn' dám':
UMA SENHORA:
> Bonjour, ma petite.
> **Bõjur̲, ma ptit'.**
> *Bom dia, queridinha.*

> Comment t'appelles-tu?
> **Comẽ tapél' tů?**
> *Como você se chama?*

UNE PETITE FILLE:
ůn' pětit' fii'e:
UMA MENININHA:
> Moi, je m'appelle Josette.
> **Muá, jě mapél' Josét'.**
> *Eu me chamo Josette.*

Fille — jeune fille

A palavra fille *significa "menina" ou "filha". Petite fille, além de significar "menininha" também significa "neta". Jeune fille é a forma mais usada para "menina". Assim, é preferível usar somente* fille *apenas quando se quer dizer "filha".*

LA DAME:

Et ce petit garçon... c'est ton frère?
E ce̊ pti garc̩õ... cé tõ frér̲?
E esse menininho... é teu irmão?

LA PETITE FILLE:

Oui, c'est encore un bébé.
Uí, cétẽcór̲ œ̃ bebê.
Sim, ele ainda é um bebê.

Il peut marcher, mais il ne parle pas encore.
Il' pe̊ marc̩hê, mézil ne̊ parl' pazẽcór̲.
Ele já anda, mas ele ainda não fala.

LA DAME:

Mais toi, tu parles très bien.
Mé tuá, tů parl' tré biẽ.
Mas você fala muito bem.

LA PETITE FILLE:

Oui, papa dit que je parle trop.
Uí, papá di que̊ je̊ parl' trô.
Sim, o papai diz que eu falo demais.

LA DAME:

Tiens. Voilà un bonbon pour toi,
Tiẽ. Vualá œ̃ bõbõ pur̲ tuá,
Tome. Aqui está um bombom para você,

et un autre pour ton petit frère.
e œ̃nôtr̲' pur̲ tõ pti frér̲.
e outro para seu irmãozinho.

173

Tu s'emploie quand on parle aux animaux:
Tů sẽpluá cãtõ pa_r_l' ozanimô:
Tu *é usado quando se fala com animais:*

Fifi, tais-toi!
Fifi, té tuá!
Fifi, fique quieto!

Descends de ce divan.
Dessẽ dẻ cẻ divã.
Desça desse sofá.

Laisse le chat tranquille.
Léss' lẻ cha t_r_ãquii'e.
Deixe o gato sossegado.

Va-t'en! Tu es un vilain chien.
Vá-tẽ! Tů é œ̉ vilẽ chiẽ.
Vá embora! Você é um cachorro malvado.

CONVERSAÇÃO: NUM TERRAÇO DE CAFÉ

ELLE:
J'ai soif.
Jé suaf.
Estou còm sede.

LUI:
Est-ce que tu veux boire quelque chose dans ce café?
Éss' quê tû vê buar quélquê chôz dãcê cafê?
Quer tomar alguma coisa nesse café?

ELLE:
C'est une bonne idée. Entrons.
Cétûn' bónidê. Êtrõ.
É uma boa idéia. Vamos entrar.

LUI:
Asseyons-nous là, à la terrasse.
Asseiõ nu lá, a la teráss'.
Vamos nos sentar lá, no terraço.

> **La terrasse**
> La terrasse *designa a parte de um café, ou restaurante, que fica ao ar livre, junto à calçada.*

ELLE:
C'est ça!
Cé ça!
Isso mesmo!

Tu veux voir passer les jolies filles.
Tů vě vua_r passê le joli fii'e.
Você quer ver as moças bonitas passando.

LUI:
Tu sais bien que je ne regarde que toi. Garçon!
Tů sé biẽ quê jě rěga_rd' quê tuá. Ga_rçõ!
Você sabe muito bem que eu só olho para você. Garçom!

LE GARÇON:
Lě ga_rçõ:
O GARÇOM:

Vous désirez, messieurs-dames?
Vu desi_rê, měssiě dám'?
O que os senhores desejam?

> **Messieurs-dames**
> *Essa é uma fórmula simples, usada quando há mais de uma pessoa, e são de sexos diferentes. A expressão fica no plural, mesmo quando se trata de apenas um indivíduo de cada sexo.*

LUI:
Qu'est-ce que tu prends, ma chérie?
Quéss' quê tů prẽ, ma che_ri?
O que você vai tomar, querida?

> *Compare o uso dos tratamentos* **tu** *e* **vous**
> *Podemos observar aqui o uso de ambos os tratamentos, na mesma situação:* tu *na comunicação entre o casal e* vous *entre o casal e o garçom.*

ELLE:
Je ne sais pas.
Jěn' sé pá.
Não sei.

Peut-être une limonade.
Pĕtétr̲' ŭn' limonád'.
Talvez um refrigerante.

LUI:

Et, pour moi, un cognac à l'eau.
E, pur̲ muá, ŏĕ conhác a lô.
E, para mim, um conhaque com água.

LE GARÇON:

Avec de l'eau minérale?
Avéc dĕ lô mine̲ral'?
Com água mineral?

LUI:

Oui, et avec de la glace, s'il vous plaît.
Uí, e avéc dla gláss', sil vu plé.
Sim, e com gelo, por favor.

ELLE:

Attends, mon chéri. Commande-moi donc
Atẽ, mõ cheri̲. Comãd' muá dõ
Espere, querido. Peça para mim

un Dubonnet au lieu de la limonade.
ŏĕ Dŭbonê o liĕ dĕ la limonád'.
um Dubonnet, em vez do refrigerante.

LUI:

Mais certainement.
Mé certénmẽ.
Mas é claro.

Les femmes changent souvent d'avis,
Le fám' chãj' suvẽ davi,
As mulheres mudam de idéia freqüentemente,

n'est-ce pas, ma chérie?
néss' pá, ma cheri̲?
não é mesmo, querida?

177

Garçon! Pas de limonade pour Madame.
Garçõ! Pád' limonád' pur Madám'.
Garçom! Cancele o refrigerante da senhora.

Elle désire un Dubonnet.
Él' desir' œ̃ Dŭbonê.
Ela quer um Dubonnet.

ELLE:
Tu n'es pas fâché?
Tŭ né pá fachê?
Você não está zangado?

LUI:
Moi, fâché, pourquoi?
Muá, fachê, purquá?
Eu, zangado, por quê?

Tu sais bien que je fais toujours
Tŭ sé biẽ quẻ jẻ fé tujur
Você sabe muito bem que eu sempre faço

tout ce que tu veux.
tuss' quẻ tŭ vẻ.
tudo o que você quer.

ELLE:
Vraiment, toujours?
Vrémẽ, tujur?
É mesmo, sempre?

C'est vrai, tu es bien gentil.
Cé vré, tŭ é biẽ gẽti.
É verdade, você é muito gentil.

LE GARÇON:
Voilà vos consommations.
Vualá vo cõssomaciõ.
Aqui estão suas bebidas.

LUI:
    A ta santé!
    A ta sãtê!
    À tua saúde!

ELLE:
    A la tienne, mon amour.
    A la tién', monamur.
    À tua, meu amor.

TESTE SEU FRANCÊS

Verta estas sentenças para o francês, usando o tratamento familiar. Conte 10 pontos para cada resposta correta. Veja as respostas abaixo.

1. Qual é o seu nome?

2. Mas você fala muito bem.

3. Você vai lá?

4. Apresse-se!

5. Faça o que estou mandando.

6. Você me ama mesmo?

7. Eu amo você, de verdade.

8. Você não está zangado?

9. Você é muito gentil.

10. Eu detesto você.

Respostas: 1. Comment t'appelles-tu? 2. Mais toi, tu parles très bien. 3. Tu y vas? 4. Dépêche-toi! 5. Fais ce que je te dis! 6. Est-ce que tu m'aimes vraiment? 7. Je t'aime vraiment. 8. Tu n'es pas fâché? 9. Tu es bien gentil. 10. Je te déteste.

Resultado: _____ %

passo 16 — DIAS, MESES, DATAS, ESTAÇÕES DO ANO, O TEMPO

Les sept jours de la semaine sont:
Le sét jur dè la smén' sõ:
Os sete dias da semana são:

lundi, mardi, mercredi,
lõedi, mardi, mércrèdí,
segunda-feira, terça-feira, quarta-feira,

jeudi, vendredi, samedi et dimanche.
jèdi, vẽdrèdí, sam'di e dimãch'.
quinta-feira, sexta-feira, sábado e domingo.

Les douze mois de l'année s'appellent:
Le duz' muá dè lanê sapél':
Os doze meses do ano chamam-se:

janvier, février, mars, avril,
jãviê, fevriê, mars, avril',
janeiro, fevereiro, março, abril,

mai, juin, juillet, août,
mé, jůẽ, jůii'ê, ut,
maio, junho, julho, agosto,

septembre, octobre, novembre, décembre.
setẽbr, octôbr', novẽbr, decẽbr.
setembro, outubro, novembro, dezembro.

Janvier est le premier mois de l'année.
Jãviê é lè prèmiê muá dè lanê.
Janeiro é o primeiro mês do ano.

Le premier janvier est le Premier de l'An.
Lě prěmiê jãviê é lě Prěmiê dě lã.
Dia primeiro de janeiro é dia de Ano-Novo.

On dit à ses amis: "Bonne Année!"
Õ di a sezamí: "Bónanê!"
Diz-se aos amigos: "Feliz Ano-Novo!"

> **On** — *terceira pessoa do singular*
> *A palavra on é usada para sujeito indeterminado ou para substituir a primeira pessoa do plural, na linguagem familiar ("nós" — "a gente").*
> *Em ambos os casos, tem as desinências verbais e segue as mesmas formas, para os possessivos, da terceira pessoa do singular (il, elle).*

Février est le deuxième mois,
Fevriê é lě děziém' muá,
Fevereiro é o segundo mês,

mars le troisième, avril le quatrième...
mars lě truaziém', avril lě catriém'...
março o terceiro, abril o quarto...

et décembre le douzième
e decēbr lě duziém'
e dezembro o décimo segundo

et dernier mois de l'année.
e derniê muá dě lanê.
e último mês do ano.

Le 25 décembre est le Jour de Noël.
Lě 25 decēbr' é lě Jur dě Noél.
25 de dezembro é dia de Natal.

On dit: "Joyeux Noël!"
Õ di: "Juaiě Noél!"
Diz-se: "Feliz Natal!"

et on fait de cadeaux aux enfants.
e õ fé dĕ cadõ ôzẽfã.
e dão-se presentes às crianças.

La fête nationale française
La fét' nacionál' frãcéz'
A festa nacional francesa

est le quatorze juillet.
é lĕ catórz' jŭii'ê.
é dia quatorze de julho.

C'est l'anniversaire
Cé laniversér'
É o aniversário

de la prise de la Bastille,
dĕ la priz' dĕ la Bastii'e,
da tomada da Bastilha,

pendant la Révolution Française.
pẽdã la Revolŭciõ Frãcéz'.
durante a Revolução Francesa.

> *Palavras semelhantes — mesmo sentido*
> *Como* révolution, *há muitas palavras em francês que são semelhantes às equivalentes em português (troca-se a sílaba* tion *pela sílaba* ção*). Seguem-se alguma delas:*
> emotion = *emoção*   action = *ação*
> motion = *moção*   anticipation = *antecipação*
> section = *seção*   opération = *operação*
> attention = *atenção*   attraction = *atração*
> satisfaction = *satisfação* construction = *construção*
> réaction = *reação*   ocupation = *ocupação*
> nation = *nação*   libération = *liberação*

Il y a de défilés de l'armée sur les boulevards;
Iliá de defilê dĕ larmê sŭr le bulvar;
Há desfiles militares nas avenidas;

le président fait un discours et dit: "Vive la France!"
lĕ presidẽ fé œ̃ discur e di: "Viv' la Frãss'!"
o presidente faz um discurso e diz: "Viva a França!"

Le soir il y a des feux d'artifice,
Lĕ suar iliá de fĕ dartifíss',
À noite há fogos de artifício,

et on danse dans les rues.
e õ dãss' dã le rŭ.
e dança-se nas ruas.

L'année se divise en quatre saisons:
Lanê sĕ diviz' ẽ catr' sezõ:
O ano se divide em quatro estações:

le printemps, l'été, l'automne et l'hiver.
lĕ prẽtẽ, letê, lotón' e livér.
a primavera, o verão, o outono e o inverno.

En hiver, il fait froid, et en été, il fait chaud.
Ẽnivér, il fé fruá, e ẽnetê, il fé chô.
No inverno, faz frio, e no verão, faz calor.

Au printemps, il fait beau temps mais il pleut assez souvent.
Ô prẽtẽ, il fé bô tẽ mézil plĕ assê suvẽ.
Na primavera o tempo é bom, mas chove com bastante freqüência.

En automne, il fait du vent,
ẽnotón', il fé dŭ vẽ,
No outono, venta,

et les feuilles tombent des arbres.
e le fĕii'e tõb' dezarbr'.
e as folhas caem das árvores.

— Quel temps fait-il généralement en France?
   Quél tẽ fétil general'mẽ ẽ Frãss'?
   Como é o tempo geralmente na França?

Quel temps fait-il?
Para descrever certos aspectos do tempo ou da temperatura, usa-se a terceira pessoa do singular do verbo faire.
  il fait froid = *está frio (faz frio)*
  il fait chaud = *está quente (faz calor)*
  il fait mauvais temps = *o tempo está ruim*
  il fait beau = *o tempo está bom*
Mas lembre-se de que, para dizer que uma pessoa está com calor, com frio, com sede, etc., usa-se o verbo avoir.

— Le temps est plus ou moins semblable
  Lĕ tẽ é plůzu muẽ sēblabl'
  O tempo se parece mais ou menos

  à celui des Etats-Unis.
  a cĕlůí dezetazůní.
  com o dos Estados Unidos.

  Mais il n'y fait ni si froid, ni si chaud.
  Mézil ni fé ni si fṟuá, ni si chô.
  Mas na França não faz nem tanto frio, nem tanto calor.

— Est-ce qu'il neige beaucoup à Paris?
  Éss' quil néj' bocu a Paṟi?
  Neva muito em Paris?

— Non, pas beaucoup. Il neige quelquefois,
  Nõ, pá bocu. Il néj' quélquĕfuá.
  Não, não muito. Neva às vezes.

— Mais, à Cannes, il ne neige presque jamais.
  Mé, a Cán', il nĕ néj' pṟesquĕ jamé.
  Mas, em Cannes, não neva quase nunca.

> *Partículas negativas*
> *Em francês, usamos sempre duas partículas negativas, em geral* ne *e* pas. *Mas com algumas palavras negativas*

é desnecessário usar o pas. *Uma dessas palavras é* jamais. *Assim, temos:*
  il ne neige pas = *"não neva"*
  il ne neige jamais = *"não neva nunca"*

Dans les autres pays de langue française,
Dã lezôtr' peí dě lãg' frãcéz',
Nos outros países de língua francesa,

le climat est moins modéré:
lě climá é muẽ moderê:
o clima é menos moderado:

au Canada, il fait très froid en hiver
ô Canadá, il fé tré fruá ēnivér
no Canadá, faz muito frio no inverno

> **En, au, aux**
> *Com os países femininos usa-se* en, *para traduzir "à" ou "na". Ex:*
> Je vais en France.
> *"Eu vou à França."*
>
> Il fait chaud en Italie.
> *"Faz calor na Itália."*
>
> Cet hiver, il va en Chine et en Amérique.
> *"Neste inverno, ele vai à China e à América."*
>
> *Quando o país é masculino, usa-se* au, *contração da preposição* à *com o artigo definido masculino* le.
>   au Mexique = *"ao México", "no México"*
>   au Japan = *"ao Japão", "no Japão"*
> *Para o masculino plural, usa-se* aux *como:*
> Je vais aux États-Unis.
> *"Vou aos Estados Unidos."*
>
> Aux États-Unis il fait froid.
> *"Faz frio nos Estados Unidos."*

et il neige souvent.
e il néj' suvẽ.
e neva com freqüência.

En Afrique Centrale il fait toujours chaud
ẽnafríc' cẽtral' il fé tujur chô
Na África Central faz sempre calor

et il y pleut beaucoup.
e il i plẽ bocu.
e lá chove muito.

Dans les déserts, comme le Sahara,
Dã le desér, cóm' lẽ Saará,
Nos desertos, como o Saara,

il fait très chaud dans la journée,
il fé tré chô dã la jurnê,
faz muito calor durante o dia,

et souvent froid la nuit.
e suvẽ fruá la nůí.
e, freqüentemente, frio à noite.

À Tahiti, le climat est merveilleux,
A Taití, lẽ climá é merveii'ẽ,
No Taiti, o clima é maravilhoso,

il y fait toujours un temps très agréable.
il i fé tujur œ̃ tẽ trézagreabl'.
o tempo, lá, é sempre muito agradável.

CONVERSAÇÃO: FALANDO SOBRE O TEMPO

Tout le monde parle du temps.
Tul' mõd' parl' dů tẽ.
Todo o mundo fala do tempo.

Au printemps, quand le soleil brille,
O prẽtẽ, cã lě soléi brii'e,
Na primavera, quando o sol brilha,

et quand souffle une brise agréable,
e cã sufl' ůn' briz' agreabl',
e sopra uma brisa agradável,

    on dit: "Comme il fait beau! Quelle belle journée!"
    õ di: "Cóm' il fé bô! Quél' bél' jurnê!"
    dizemos: "Que tempo bom! Que dia lindo!"

Et quand la nuit est claire,
E cã la nůí é clér',
E quando a noite está clara,

quand on voit la lune et les étoiles,
cãtõ vuá la lůn' e lezetuál',
quando vemos a lua e as estrelas,

    on dit: "Quelle nuit merveilleuse!"
    õ di: "Quél' nůí merveii'êz'!"
    dizemos: "Que noite maravilhosa!"

En été, l'après-midi, en plein soleil:
ẽnetê, lapré midi, ẽ plẽ soléi:
No verão, à tarde, ao sol:

"Il fait terriblement chaud, n'est-ce pas?"
"Il fé teriblêmē chô, néss' pá?"
"Está terrivelmente quente, não é?"

Quand on entend dehors le vent et la pluie,
Cãtõ ẽtẽ deór lě vẽ e la plůí,
Quando ouvimos, lá fora, o vento e a chuva,

on dit: "Quel mauvais temps! Il pleut à verse."
õ di: "Quél' mové tẽ! Il plě a vérs'."
dizemos: "Que tempo ruim! Está chovendo torrencialmente."

On demande souvent: "Est-ce qu'il pleut toujours?"
Õ děmãd' suvẽ: "Éss' quil plě tujur?"
Perguntamos freqüentemente: "Ainda está chovendo?"

En automne, quand il commence à faire froid,
ẽ otón', cãtil comẽss' a fér fruá,
No outono, quando começa a fazer frio,

on dit: "Il fait assez froid aujourd'hui."
õ di: "Il fé assê fruá ojurdůí."
dizemos: "Faz bastante frio hoje."

L'hiver, la radio annonce souvent:
Livér, la radiô anõss' suvẽ:
No inverno, o rádio anuncia com freqüência:

"Froid très vif et chute de neige.
"Fruá tré vif e chůt' dě néj'.
"Frio muito intenso e queda de neve.

La glace et la neige rendent la circulation difficile.
La gláss' e la néj' rẽd' la circůlaciõ dificíl'.
O gelo e a neve dificultam a circulação.

Il y a de la glace sur les lacs."
Iliá dla gláss' sůr le lac'."
Há gelo nos lagos."

Parfois, l'été, les titres des journaux indiquent:
Parfuá, letê, le titr' de jurnô ẽdic':
Às vezes, no verão, as manchetes dos jornais anunciam:

"Violents orages sur toute la France.
"Violẽ zoráj' sůr tutla Frãss'.
"Tempestades violentas na França toda.

Vents très forts. Pluies abondantes,
Vẽ tré fór. Plůízabõdãt',
Ventos muitos fortes. Chuvas abundantes,

avec du tonnerre et des éclairs."
avéc dů tonér e dezeclér."
com trovões e raios."

Après la pluie, il fait souvent du brouillard.
Apré la plůí, il fé suvẽ dů bruii'ar.
Depois da chuva, freqüentemente há neblina.

On dit: "Quel brouillard! On n'y voit rien.
Õ di: "Quél bruii'ar! Õ ni vuá riẽ.
Dizemos: "Que neblina! Não se vê nada.

Impossible de conduire.
ẽpossibl' dĕ cõdůir.
É impossível dirigir.

C'est trop dangereux.
Cé trô dãjrĕ.
É perigoso demais.

Restons ici et regardons la télévision."
Restõ ici e rĕgardõ la televiziõ."
Vamos ficar aqui e ver televisão."

190

A primeira pessoa do plural de qualquer verbo pode ser usada sem o pronome, para expressar um tipo de convite, equivalente à forma "Vamos..." em português. Se o verbo for reflexivo, o pronome nous *aparece após o verbo:*

"Vamos sentar-nos" = Asseyons-nous

TESTE SEU FRANCÊS

Traduza para o português estes comentários sobre o tempo. Conte 10 pontos para cada resposta correta. Veja as respostas abaixo.

1. Comme il fait beau! _____

2. Quelle belle journée! _____

3. Quelle nuit merveilleuse! _____

4. Il fait terriblement chaud, n'est-ce pas? _____

5. Quel mauvais temps! _____

6. Il pleut à verse. _____

7. Est-ce qu'il pleut toujours? _____

8. Il fait assez froid aujourd'hui. _____

9. Il fait souvent froid, la nuit. _____

10. Quel brouillard! On n'y voit rien! _____

Respostas: 1. Que tempo bom! 2. Que dia lindo! 3. Que noite maravilhosa! 4. Está terrivelmente quente, não é? 5. Que tempo ruim! 6. Chove torrencialmente. 7. Ainda está chovendo? 8. Está bastante frio hoje. 9. Freqüentemente faz frio à noite. 10. Que neblina! Não se vê nada!

Resultado: _____ %

passo 17 FORMAÇÃO DO FUTURO

Le temps futur est très facile.
Lẽ tẽ fûtûr é tré facil'.
O futuro é um tempo muito fácil.

Pour former la première personne du futur avec *je*
Pur formê la prẽmiér person' dû fûtûr avéc jẽ
Para formar a primeira pessoa do futuro com je

prenez l'infinitif et ajoutez *ai*.
prẽnê lẽfinitif e ajutê ai.
tome o infinitivo e acrescente ai.

Construindo a partir do infinitivo
Os verbos do 1.º e 2.º grupos formam o futuro acrescentando-se ao infinitivo as desinências do futuro. No caso do 3.º grupo, verbos como vendre *perdem o* e *antes de receber as desinências do futuro* — je vendrai *("eu venderei")* —, *enquanto que outros, como* recevoir, *perdem o* oir *e recebem um* r *acompanhado das desinências do futuro* — je recevrai *("eu receberei"). Alguns dos verbos mais comuns têm formas especiais para o futuro, que devem ser decoradas. Seguem-se os mais importantes, primeiramente no infinitivo e depois na forma do futuro, para a primeira pessoa do singular.*

être — je serai avoir — j'aurai
aller — j'irai faire — je ferai
pouvoir — je pourrai vouloir — je voudrai
voir — je verrai savoir — je saurai
venir — je viendrai

193

Demain, je me lèverai de bonne heure.
Děmẽ, jě mě lev_ré dě bonóer.
Amanhã, eu me levantarei cedo.

J'irai chez le médecin.
Ji_ré chê lě medssẽ.
Eu irei ao médico.

Je lui demanderai quelque chose pour ma toux.
Jě lůí děmãdré quélquě chôz' pu_r ma tu.
Eu lhe pedirei algo para a minha tosse.

Et j'aurai l'occasion de lui parler de mon foie.
E jo_ré locasiõ dě lůí pa_rlê dě mõ fuá.
E terei a oportunidade de lhe falar sobre o meu fígado.

> *Os órgãos*
> *E por falar em médicos, alguns dos órgãos internos mais importantes são "o coração"* (le cœur), *"os pulmões"* (les poumons), *"o estômago"* (l'estomac), *"os rins"* (les reins), *"o fígado"* (le foie). *Este último é famoso, na conversação, como na expressão* crise de foie — *"cólica de fígado".*

Je vous téléphonerai de chez lui,
Jě vu telefonré dě chê lůí,
Eu telefonarei do consultário,

et je vous dirais à quelle heure je reviendrai.
e jě vu di_ré a quélóer_ jě rěviẽdré.
e direi a você a que horas voltarei.

Pour la deuxième personne, "vous", ajoutez *ez*.
Pu_r la děziém' pe_rsón', "vu", ajutê ez.
Para a segunda pessoa, "vous", acrescente ez.

Oui, vous ferez bien d'y aller.
Uí, vu fě_rê biẽ di alê.
Sim, você faz bem de ir ao consultório.

Et pendant que vous y serez,
E pẽdã quẻ vuzi sẻrê,
E enquanto estiver lá,

pourrez-vous prendre rendez-vous pour moi?
purê vu prẻdr' rẽdevú pur muá?
poderia marcar hora para mim?

> **Chez le médecin**
> *Atente para as construções que poderá usar em consulta, ou sendo examinado por um médico, para expressar o desconforto que sente:*
> > *Estou com dor de cabeça* = J'ai mal à la tête
> > *Estou com dor de garganta* = J'ai mal à la gorge
> > *Estou com dor de estômago* = J'ai mal à l'estomac
> > *Estou com tontura* = J'ai des vertiges
> > *Dói aqui* = Ça me fait mal ici
>
> *Uma receita é* une ordonnance. *Seguem-se possíveis respostas do médico:*
> > *Você está com febre* = Vous avez de la fièvre
> > *É preciso ficar de cama* = Il faut rester au lit
> > *Tome isto três vezes por dia* = Prenez ceci trois fois par jour
> > *Você se sentirá melhor* = Vous vous sentirez mieux
> > *Volte daqui a dois dias* = Revenez dans deux jours

Je crois que je pourrai y aller la semaine prochaine.
Jẻ cruá quẻ jẻ purẻ i alê la smén' prochén'.
Acho que poderei ir lá na próxima semana.

Je serai libre lundi ou mardi.
Jẻ sẻrẻ libr' lœ̈di u mardi.
Estarei livre segunda-feira ou terça-feira.

Et pour "il", "elle" et "on", ajoutez *a*.
E pur "il", "él" e "õ", ajutê a.
E para "il", "elle" e "on", acrescente a.

— Armand, quand reviendra-t-il?
Armã, cã rèviẽdratíl'?
Quando o Armand voltará?

> ***Derivados seguem o padrão***
> *Quando um verbo básico é irregular, seus derivados seguem o mesmo padrão, como no caso de* revenir, *que segue o modelo do verbo* venir.

— Il sera de retour demain matin.
Il sèrá dè rètur dèmẽ matẽ.
Ele estará de volta amanhã de manhã.

— Aura-t-on l'occasion de le voir?
Oratõ locasiõ dè lè vuár?
Teremos oportunidade de vê-lo?

> ***A ligação***
> *Observe o uso do* t *entre* reviendra *e* il, *e entre* aura *e* on. *O* t *é um exemplo de ligação e separa as duas vogais. Pode-se também usar* est-ce que *sem a inversão e teremos:* est-ce qu'on aura l'occasion de le voir?

— Non, il repartira le soir même pour Milan.
Nõ, il rèpartirá lè suar mém' pur Milã.
Não, ele partirá na mesma noite para Milão.

Il y signera les contrats et visitera les usines.
Ili sinhrá le cõtrá e visitrá lezůzín'.
Lá, ele assinará os contratos e visitará as fábricas.

— Croyez-vous qu'il y fera de bonnes affaires?
Cruaiê vu quili fèrá dè bón' zafér'?
Você acha que ele fará bons negócios lá?

> ***De*** *antes de adjetivos*
> *Nas construções com partitivos, quando há um adjetivo plural diante do substantivo,* de *dispensa o uso de artigo, como em* de bonnes affaires.

Pour la forme familière "tu" ajoutez *as*.
Pur la fórm' familiér' "tů" ajutê a éss'.
Para a forma familiar "tu" acrescente as.

— Est-ce que tu me téléphoneras demain?
Éss' quê tům' telephónrá děmẽ?
Você me telefonará amanhã?

— Oui, mais à quelle heure est-ce que tu seras chez toi?
Uí, mé a quélóer ess' quê tů sěra chê tuá?
Sim, mas a que horas você estará em casa?

Pour "nous" ajoutez la terminaison *ons*.
Pur "nu" ajutê la terminezõ o én éss'.
Para "nous" acrescente a desinência ons.

Samedi prochain nous irons tous à la campagne.
Samdi prochẽ nuzirõ tuss a la cãpánh'.
Sábado próximo iremos todos ao campo.

Nous prendrons le train et nous descendrons à Nancy.
Nu prẽdrõ lě trẽ e nu dessẽdrõ a Nãci.
Tomaremos o trem e desceremos em Nancy.

Puis nous irons en voiture jusqu'au château de mon oncle.
Půí nuzirõ zẽ vuatůr' jůscô chatôd monõcl''.
Depois iremos de automóvel até a propriedade de meu tio.

> **Un château en France**
> Château *significa "castelo"*, mas atualmente é a palavra usada para qualquer grande propriedade rural, especialmente as que têm uma grande casa central. Outra palavra para castelo medieval é château-fort.

Nous monterons à cheval et nous visiterons les environs.
Nu mõtrõ a chěvál' e nu vizitrõ lezẽvirõ.
Andaremos a cavalo e visitaremos os arredores.

Nous pourrons aller nager dans le lac.
Nu pur̃ozalê najê dãl' lac'.
Poderemos ir nadar no lago.

Le soir, si le temps le permet, nous dînerons
Lě sua_r, si lě tẽ lě pe_rmé, nu dinr̃o
À noite, se o tempo permitir, nós jantaremos

et nous danserons sur la terrasse.
e nu dãssr̃o sů_r la tě_rass'.
e dançaremos no terraço.

Je crois que nous nous amuserons bien.
Jě cr_uá quě nu nuzamůzr̃o biẽ.
Acho que nos divertiremos muito.

> **Bon amusement!**
> *O verbo reflexivo* s'amuser *significa "divertir-se". Assim, quando se deseja que alguém tenha uma noite agradável, ou que se divirta, diz-se:* amusez-vous bien — *"divirta-se" — ou simplesmente* bon amusement.

Pour "ils", "elles" ajoutez la terminaison ont.
Pu_r "il", "él" ajutê la te_rminez̃o o én te.
Para "ils", "elles" acrescente a desinência ont.

UN JEUNE HOMME:
œ̃ jěnóm':
UM RAPAZ:

Pensez-vous qu'un jour les hommes vivront sur la Lune?
Pẽssê vu cœ̃ ju_r lezóm' vivr̃o sů_r la Lůn'?
Você acha que um dia os homens viverão na Lua?

UN VIEIL HOMME:
œ̃ viéi óm':
UM SENHOR:

Bien-sûr. Bientôt il y aura des bases et, sans doute, un service de vols quotidiens.
Biẽ sů_r. Biẽtô iliorá de báz' e, sã dut', œ̃ se_rvíss' dě vól cotidiẽ.
É claro. Logo haverá bases e, sem dúvida, um serviço de vôos diários.

LE JEUNE HOMME:
   Et les habitants de notre Terre
   E lezabitã dĕ nótr' Tér'
   E os habitantes da Terra

   iront-ils aussi jusqu'aux planètes?
   irõtil zossi jŭscô planét?
   irão também até os outros planetas?

LE VIEIL HOMME:
   Certainement. Une fois sur la Lune
   Certénmē. Ůn' fuá sůr la Lůn'
   Certamente. Tendo chegado à Lua

   les voyages futurs seront plus faciles
   le vuaiáj' fůtůr sĕrõ plŭ facíl'
   as viagens futuras serão mais fáceis

   et on continuera jusqu'aux planètes.
   e õ cõtinůerá jŭscô planét'.
   e continuaremos até os planetas.

   Pourtant, moi je crois que les astronautes
   Purtã, muá jĕ cruá quĕ lezastronôt'
   No entanto, pessoalmente acho que os astronautas

> **Pourtant** = *no entanto*
> *Atenção para não confundir com "portanto", que introduz uma dedução, ou conclusão. "Portanto" seria* donc, ainsi, par conséquent, alors.

   n'arriveront pas aux étoiles très bientôt.
   narivrõ pá ôzetuál' tré biētô.
   não chegarão muito em breve às estrelas.

   Moi, je ne verrai pas cet événement-là.
   Muá, jĕ nĕ vĕré pá cetevénmē lá.
   Eu não verei esse acontecimento.

Peut-être vous autres, les jeunes, le verrez.
Pětétr' vuzotr', le jěn', lě verê.
Talvez vocês, os jovens, o vejam.

> ***Expressão idiomática***
> autre = *outro*
> un autre = *um outro*
> vous autres Français = *vocês, franceses*

CONVERSAÇÃO: PLANOS PARA UMA VIAGEM À FRANÇA

— Vous partirez pour la France le mois prochain, n'est-ce pas?
Vu partirê pur la Frãss' lĕ muá prochẽ, néss' pá?
Vocês partirão para a França no próximo mês, não é?

— Oui, mon mari et moi nous irons à Paris.
Uí, mõ mari e muá nuzirõ a Pari.
Sim, iremos a Paris, meu marido e eu.

Nous y passerons l'été.
Nuzi passrõ letê.
Passaremos o verão lá.

— Les enfants iront-ils avec vous?
Lezẽfã irõtil avéc vu?
As crianças irão com vocês?

Les enfants *(masc.)* — *"as crianças" (fem.)*

— Non, ils ne pourront pas.
Nõ, il nĕ purõ pá.
Não, elas não poderão.

Ils devront aller en classe.
Il dĕvrõ talê ẽ class'.
Deverão ir às aulas.

Mas soeur se chargera d'eux.
Ma sóer sĕ charjrá dĕ.
Minha irmã cuidará delas.

— Qu'est-ce que vous ferez pendant votre séjour en France?
Quéss' quě vu f'rê pědã vótr' sejur ẽ Frãss'?
O que vocês farão durante a estadia na França?

— D'abord nous visiterons Paris,
Dabór nu vizitrõ Pari,
Primeiramente, visitaremos Paris,

les musées, les monuments, les magasins, les églises.
le můzê, le monůmẽ, le magazẽ, lezeglíz'.
os museus, os monumentos, as lojas, as igrejas.

— Il faudra aussi visiter les environs:
Il fodrá ossi vizitê lezẽvirõ:
É preciso também visitar os arredores:

le Palais de Versailles, Fontainebleau, la Malmaison...
le Palé dě Versáii'e, Fõténblô, la Malmezõ...
o Palácio de Versalhes, Fontainebleau, a Malmaison...

— Oui, certainement. Mais je ne sais pas si nous aurons le temps
Uí, certénmẽ. Mé jěn' sé pá si nuzorõ lě tẽ
Sim, certamente. Mas não sei se teremos tempo

— d'aller jusqu'à Chartres voir la cathédrale.
dalê jůsca Chartr' vuar la catedral'.
de ir até Chartres, ver a catedral.

De toute façon, nous ferons le tour des Châteaux de la Loire.
Dě tut' façõ, nu fěrõ lě tur de Chatô dla Luar'.
De qualquer forma, faremos a excursão dos Castelos do Loire.

— J'espère que vous ne manquerez pas les spectacles Son et Lumière.
Jěspér quě vun' mãcrě pá le spectacl' Sõ e Lůmiér.
Espero que não percam os espetáculos de Som e Luz.

Je suis sûr que vous en serez enchantés.
Jě sůí sůr quě vuzẽ sěrê ẽchãtê.
Tenho certeza de que ficarão encantados com eles.

— Nous passerons une nuit à Chenonceaux.
Nu passrõ ûn' nůí a Chenõçô.
Passaremos uma noite em Chenonceaux.

— Et où irez-vous ensuite?
E ú irê vuzẽsůit'?
E aonde vocês irão depois?

— Nos amis, les Arnault, viendront nous chercher en voiture.
Nozami, le Arnô, viẽdrõ nu cherchê ẽ vuatůr.
Nossos amigos, os Arnault, virão buscar-nos de automóvel.

On se retrouvera a Chenonceaux
Õ sẽ rẽtruvrá a Chenõçô
Nós nos encontraremos em Chenonceaux

et nous irons tous les quatre à Cannes,
e nuzirõ tu le catr a Cán',
e iremos, os quatro, a Cannes,

où nous prendrons de vraies vacances.
u nu prẽdrõ dẽ vré vacãss'.
onde teremos verdadeiras férias.

Nous nagerons dans la mer,
Nu najrõ dã la mér,
Nadaremos no mar,

nous ferons de la voile,
nu fẽrõ dla vual',
velejaremos,

et nous nous reposerons sur la plage.
e nu nu rẽpozrõ sůr la pláj'.
e descansaremos na praia.

Oui, car vous ne vous reposerez pas beaucoup la nuit.
Uí, car vun' vu rẽpozrê pá bocu la nůí.
Sim, porque vocês não descansarão muito à noite.

Vous y serez pour le Festival,
Vuzi sĕrê pur_ lĕ Festival',
Vocês estarão lá para o Festival,

Cannes sera très animée à ce moment-là.
Cán' sĕr̲a tr̲ézanimê ass' momē lá.
Cannes estará muito animada nessa ocasião.

Vous serez sans doute invités dans beaucoup d'endroits.
Vu sĕr̲ê são dut' ẽvitê dã bocu dēdr̲uá.
Sem dúvida vocês serão convidados para muitos lugares.

Et il faudra voir le Casino de Monte-Carlo...
E il fodr̲á vuar_ lĕ Cazinô dĕ Môte-Car̲lô...
E vocês precisam ir ver o Cassino de Monte Carlo...

J'espère que vous gagnerez aux jeux.
Jĕspér̲ quĕ vu ganhr̲ê o jĕ.
Espero que vocês ganhem nos jogos.

Oh, moi, je serai contente si Richard n'y perd pas sa chemise.
Ô, muá, jĕ sr̲é cõtĕt' si R̲ichár̲ ni pér̲ pá sa chĕmiz'.
Oh, por mim, eu ficarei contente se Richard não perder a camisa lá.

> *Não esqueça*
> *Para fixar o futuro em sua mente, eis uma tabela das desinências verbais do futuro, nos principais grupos de verbos:*

	parler	finir	rendre	recevoir
je	parler ai	finir ai	rendr ai	recevr ai
tu	-as	-as	-as	-as
il	-a	-a	-a	-a
nous	-ons	-ons	-ons	-ons
vous	-ez	-ez	-ez	-ez
ils	-ont	-ont	-ont	-ont

TESTE SEU FRANCÊS

Verta para o francês, usando o futuro. Conte 10 pontos para cada resposta correta. Veja as respostas abaixo.

1. Amanhã, eu me levantarei cedo. _____

2. Eu irei a Paris. _____

3. Eu telefonarei a você. _____

4. Eu estarei livre segunda-feira e terça-feira. _____

5. Quando ele voltará? _____

6. Nós iremos de automóvel. _____

7. Jantaremos às oito horas. _____

8. O que vocês farão? _____

9. Ele parará alguns dias em Cannes. _____

10. Cannes estará muito animada. _____

Respostas: 1. Demain, je me lèverai de bonne heure. 2. J'irai à Paris. 3. Je vous téléphonerai. 4. Je serai libre lundi et mardi. 5. Quand reviendra-t-il? 6. Nous irons en voiture. 7. Nous dînerons à huit heures. 8. Qu'est-ce que vous ferez? 9. Il s'arrêtera quelques jours à Cannes. 10. Cannes sera très animée.

Resultado: _____ %

passo 18 — FORMAÇÃO DO PARTICÍPIO PASSADO

Quand on se promène dans une ville française,
Cãtõss' promén' dã zůn' vil' frãcéz',
Quando se passeia por uma cidade francesa,

on voit souvent écrit:
õ vuá suvẽ ecri:
vê-se, freqüentemente, escrito:

FERMÉ LE DIMANCHE
Fermê lẽ dimãch'
FECHADO AOS DOMINGOS

FERMÉ POUR RÉPARATIONS
Fermê pur reparaciõ
FECHADO PARA REFORMA

OUVERT JUSQU'À 22 HEURES
Uvér jùscá vẽ dẽzóer
ABERTO ATÉ AS 22 HORAS

SENS INTERDIT
Sẽss ẽterdi
SENTIDO PROIBIDO

INTERDIT AUX PIÉTONS
ẽterdi ô pietõ
PROIBIDO PARA PEDESTRES

STATIONNEMENT AUTORISÉ
Staciónmẽ otorisê
ESTACIONAMENTO PERMITIDO

RUE BARRÉE — DÉTOUR
Rů' barê — detur
RUA OBSTRUÍDA — DESVIO

et dans les jardins plubics:
e dã le jardẽ públíc':
e nos jardins públicos:

IL EST DÉFENDU DE MARCHER SUR LE GAZON
Ilé defẽdů dẽ marchê sůr lẽ gazõ
É PROIBIDO PISAR NA GRAMA

Les mots *fermé, ouvert, interdit, autorisé, barré* et *défendu*
Le mô fermê, uvér, ẽterdi, otorisê, barê e defẽdů
As palavras fechado, aberto, vedado, permitido, obstruído *e* proibido

sont les participes passés des verbes
sõ le particip' passê de verb'
são os particípios passados dos verbos

fermer, ouvrir, interdire, autoriser, barrer et *défendre.*
fermê, uvrir, ẽterdir, otôrise, barê e defẽdr'.
fechar, abrir, vedar, autorizar, obstruir *e* proibir.

Et puis, quand on entre dans un magasin,
E půí, cãtõ ẽtr' dã zoẽ magazẽ,
E depois, quando se entra numa loja,

on voit et on entend des expressions comme
õ vuá e onẽtẽ dezecspressiõ cóm'
vêem-se e ouvem-se expressões como

PRIX RÉDUITS
Pri redůí
PREÇOS REMARCADOS (REDUZIDOS)

TOUS NOS PRIX SONT MARQUÉS
Tu no pri sõ marquê
TODOS OS NOSSOS PREÇOS ESTÃO MARCADOS

"C'est payé. Voilà votre reçu."
"Cé peiê. Vualá vótr' rêçû."
"Está pago. Eis o seu recibo."

Et quelquefois:
E quélquêfuá:
E às vezes:

"Je regrette. C'est vendu."
"Jê rêgrét'. Cé vêdû."
"Sinto muito. Está vendido."

Ce sont les participes passés de
Cê sõ le particip' passê dê
São os particípios passados de

réduire, marquer, payer, recevoir et vendre.
reduir, marquê, peiê, rêcevuar e vêdr'.
reduzir, marcar, pagar, receber e vender.

> *O particípio passado*
> *Corresponde, em uso, ao particípio passado em português (é a forma "adjetiva" do verbo): "tomado", "incluído", "proibido", "vendido", "acabado", "fechado", "servido", etc. Formação do particípio passado:*
> *Os verbos do 1.º grupo formam o particípio passado em* é:
>   *fermer ("fechar") — fermé ("fechado")*
> *Os verbos do 2.º grupo formam o particípio em* i:
>   *finir ("terminar") — fini ("terminado")*
> *Os verbos do 3.º grupo, que terminam em* re *ou* oir, *formam o particípio passado em* u:
>   *vendre ("vender") — vendu ("vendido")*
>   *recevoir ("receber") — reçu ("recebido")*
> *Eis uma lista de particípios passados com desinências diferentes das acima indicadas:*
>   *faire ("fazer") — fait ("feito")*
>   *être ("ser") — été ("sido")*
>   *asseoir ("sentar") — assis ("sentado")*
>   *courir ("correr") — couru ("corrido")*

dire *("dizer")* — dit *("dito")*
écrire *("escrever")* — écrit *("escrito")*
mettre *("colocar")* — mis *("colocado")*
mourir *("morrer")* — mort *("morto")*
ouvrir *("abrir")* — ouvert *("aberto")*
prendre *("tomar")* — pris *("tomado")*
rire *("rir")* — ri *("rido")*
tenir *("segurar")* — tenu *("segurado")*
vivre *("viver")* — vécu *("vivido")*
venir *("vir")* — venu *("vindo")*

Les participes passés sont employés partout.
Le pa̱rticip' passê sõ tẽpluaiê pa̱rtu.
Os particípios passados são empregados em qualquer lugar.

Au cinéma:
O cinemá:
No cinema:

RECOMMANDÉ AUX ADULTES
Rẽcomãdê ozadůlt'
RECOMENDADO PARA ADULTOS

INTERDIT AUX MOINS DE SEIZE ANS
ẽte̱rdi o muẽ dẽ séz' ã
PROIBIDO PARA MENORES DE DEZESSEIS ANOS

"C'est commencé?"
"Cé comẽcê?"
"Já começou?"

"Non, c'est fini dans cinq minutes."
"Nõ, cé fini dã cẽ minůt'."
"Não, termina em cinco minutos."

Au Bureau de Poste:
O Bů̱rô dẽ Póst':
Na agência de Correios:

LETTRES ET PAQUETS RECOMMANDÉS
Létr'ze paquê r̠ecomãdê
CARTAS E PACOTES REGISTRADOS

Dans les gares et dans les trains:
Dã le gár̠ e dã le tr̃ẽ:
Nas estações e nos trens:

BAGAGES ENREGISTRÉES
Bagáj' zẽr̠egistr̠ê
BAGAGEM REGISTRADA

OBJETS TROUVÉS
Objé tr̠uvê
ACHADOS E PERDIDOS

PLACE RESERVÉE
Plass' r̠ȇser̠vê
POLTRONA RESERVADA

— Pardon, est-ce que cette place est occupée?
Par̠dõ, ess' quȇ cét plass' é tocŭpê?
Desculpe, esse lugar está ocupado?

— Oui, elle est prise.
Uí, élé pr̠iz'.
Sim, está ocupado.

> *O particípio como adjetivo*
> *O particípio passado* pris *("tomado", "ocupado") é usado acima como adjetivo; assim, precisa receber um* e *para concordar com* place, *que é feminino.*

— Est-il permis de fumer?
Étíl per̠mi dȇ fŭmê?
É permitido fumar?

— Non, c'est défendu. Regardez. C'est écrit là.
Nõ, cé defẽdŭ. R̠ȇgar̠dê. Cétecr̠í lá.
Não, é proibido. Veja. Está escrito ali.

Et au wagon-restaurant:
E o vagõ r̲estôr̲ã:
E no vagão-restaurante:

> Premier service — Le dîner est servi.
> **Pr̲ĕmiê ser̲víss' — Lĕ dinê é ser̲vi.**
> *Primeiro turno — O jantar está servido.*

> > *Voz passiva*
> > *O particípio passado pode ser usado com* être *("ser", "estar") para a construção passiva, como em português.*
> > Le dîner est servi par le garçon.
> > *O jantar é servido pelo garçom.*

— Est-ce que le service est compris?
> **Ess' quĕ lĕ ser̲víss' é compr̲i?**
> *O serviço está incluído?*

À la campagne on voit souvent:
A la cãpánh' õ vuá suvẽ:
No campo, vemos freqüentemente:

CHASSE GARDÉE — PÊCHE RÉSERVÉE
Chass' gar̲dê — péch' r̲eser̲vê
CAÇA PROTEGIDA — PESCA RESTRITA

ACCÈS INTERDIT
Acssé ẽter̲di
ACESSO PROIBIDO

Le participe passé employé au passif:
Lĕ par̲ticip passê ẽpluaiê o passif:
Particípio passado empregado na voz passiva:

— Le français est parlé en France, en Suisse et en Belgique.
> **Lĕ fr̲ãcé é par̲lê ẽ Fr̲äss', ẽ Sŭíss' e ẽ Belgíc'.**
> *O francês é falado na França, na Suíça e na Bélgica.*
> *(Fala-se francês na França, na Suíça e na Bélgica.)*

Voz passiva ou **on**
Em linguagem falada, existe uma tendência a evitar a voz passiva. Ela é substituída pelo emprego do sujeito indeterminado **on**. *Aliás, em português também empregamos as duas formas.*
Fala-se francês no Haiti. = On parle français en Haïti.
ou
O francês é falado no Haiti. = Le français est parlé en Haïti.

Il est parlé aussi au Canada
Ilé parlê ossi o Canadá
Ele é falado também no Canadá

et dans divers pays d'Afrique et d'Asie.
e dã divér peí dafríc' e dazí.
e em diversos países da África e da Ásia.

Il est employé aux Nations Unies.
Ilé tẽpluaiê o naciõzůní'.
Ele é usado nas Nações Unidas.

Il est étudié dans le monde entier,
Ilé tetůdiê dãl' mõd' ẽtiê,
Ele é estudado no mundo inteiro,

parce que la littérature, l'histoire et la culture françaises
parss' quê la literatůr, listuár e la cůltůr' frãcéz'
porque a literatura, a história e a cultura francesas

sont tellement appréciées.
sõ télmẽ tapreciê.
são muito apreciadas.

Lembrete
Note que appréciées *é feminino plural porque se refere a três palavras femininas. Porém, se uma delas fosse masculina, o adjetivo tomaria a forma do masculino plural.*

Les écriteaux *(placas)*

No Passo 18 vimos o uso do particípio passado em placas e outras situações. Contudo, como nem todas as placas incluem o particípio passado, segue-se uma lista cujo significado você deve conhecer:

    défense d'afficher = *proibido colocar cartazes*
    défense d'entrer = *entrada proibida*
    renseignements = *informações*
    attention = *atenção*
    sens unique = *mão única*
    passage à niveau = *passagem de nível*
    ralentissez = *diminua a velocidade*
    carrefour dangereux = *cruzamento perigoso*
    passage pour piétons = *passagem de pedestres*
    voie sans issue = *rua sem saída*
    dames = *senhoras*
    hommes = *homens*
    lavabos = *lavatórios*

TESTE SEU FRANCÊS

Combine os avisos. Conte 10 pontos para cada resposta correta. Veja as respostas abaixo.

1. FERMÉ LE DIMANCHE   PREÇOS REDUZIDOS

2. OUVERT JUSQU'À 22 HEURES FECHADO PARA REFORMA

3. SENS UNIQUE   RECOMENDADO PARA ADULTOS

4. FERMÉ POUR RÉPARATIONS   POLTRONA RESERVADA

5. RUE BARRÉE   ACHADOS E PERDIDOS

6. STATIONNEMENT AUTORISÉ   FECHADO AOS DOMINGOS

7. PRIX RÉDUITS   RUA OBSTRUÍDA

8. PLACE RÉSERVÉE   ABERTO ATÉ AS 22 HORAS

9. OBJETS TROUVÉS   ESTACIONAMENTO PERMITIDO

10. RECOMMANDÉ AUX ADULTES   SENTIDO ÚNICO

Respostas: 7, 4, 10, 8, 9, 1, 5, 2, 6, 3

Resultado: _____ %

passo 19 — A FORMAÇÃO DO PASSADO (*PASSÉ COMPOSÉ*) COM O AUXILIAR *AVOIR*

Le participe passé est employé
Lẽ particip' passê étẽpluaiê
O particípio passado é usado

pour former le passé composé des verbes.
pur formê lẽ passê cõpozê de vérb'.
para formar o passado (pretérito perfeito) dos verbos.

Voici comment on fait le passé avec *avoir*:
Vuaci comẽ õ fé lẽ passê avéc avuar:
Veja como se forma o passado com avoir:

on prend le présent d'avoir
õ prẽ lẽ prezẽ davuar
toma-se o presente de avoir

et on le met devant le participe passé.
e õ lẽ mé dẽvã lẽ particip' passê.
e coloca-se antes do particípio passado.

Et voilà! Vous avez le passé composé.
E vualá! Vuzavê lẽ passê cõpozê.
E pronto! Temos o pretérito perfeito.

> *Uso do particípio passado*
> *Um dos principais empregos do particípio passado, que acabamos de aprender no Passo 18, é a formação do passado (pretérito perfeito) de outros verbos. Faz-se a combinação do particípio passado com o presente do indicativo do verbo* avoir, *para alguns verbos, e do verbo* être

para outros. No Passo 19, vamos aprender os verbos que pedem o auxiliar avoir. *No Passo 20, aprenderemos verbos que formam o passado com o auxiliar* être. *Segue-se o passado (*passé composé*) de* trouver, *um verbo regular do 1.º grupo.*

j'ai trouvé = *eu encontrei*
tu as trouvé = *tu encontraste*
il a trouvé = *ele encontrou*
nous avons trouvé = *nós encontramos*
vous avez trouvé = *vós encontrastes*
ils ont trouvé = *eles encontraram*

O passé composé, *que, como diz o nome, é um tempo composto, corresponde a nosso pretérito perfeito, que é um tempo simples.*

Voilà des exemples du passé avec *j'ai*:
Vualá dezegzẽpl' dũ passê avéc jé:
Eis alguns exemplos do passado com j'ai:

Hier, j'ai visité le Musée des Beaux-Arts.
Iér, jé vizitê lẽ Mũzê de Bôzárt'.
Ontem, eu visitei o Museu de Belas-Artes.

J'ai regardé les statues et les tableaux.
Jé rẽgardê le statũ e le tablô.
Eu vi as estátuas e os quadros.

J'ai parlé longtemps avec le guide.
Jé parlê lõtẽ avéc lẽ guid'.
Eu conversei durante muito tempo com o guia.

J'ai écouté ses explications avec intérêt.
Jé ecutê sezecsplicaciõ avéc ẽteré.
Eu ouvi suas explicações com interesse.

Je l'ai remercié et je lui ai donné un bon pourboire.
Jẽ lé rẽmerciê e jẽ lũí é donê œ̃ bõ purbuár'.
Eu lhe agradeci e lhe dei uma boa gorjeta.

Le passé avec *il a, elle a, on a:*
Lẽ passê avéc ilá, élá, oná:
O passado com il a, elle a, on a:

— Est-ce que quelqu'un a téléphoné?
Éss' quẽ quélcoẽ a telefonê?
Alguém telefonou?

— Oui, Mme. Albert a téléphoné.
Uí, Madám' Albér a telefonê.
Sim, a senhora Albert telefonou.

— A-t-elle laissé un message?
Atél' lessê oẽ messáj'?
Ela deixou recado?

— Non, elle n'a pas laissé de message.
Nõ, él na pá lessêd' messáj'.
Não, ela não deixou recado.

> **L'apostrophe**
> *Quando o passado é negativo, a partícula negativa* ne, *que precede o verbo* avoir, *perde o* e *e recebe apóstrofo, para evitar o encontro de duas vogais. Segue-se o passado negativo do verbo* parler *(regular, 1.º grupo).*
> je n'ai pas parlé
> tu n'as pas parlé
> il n'a pas parlé
> nous n'avons pas parlé
> vous n'avez pas parlé
> ils n'ont pas parlé
> *Pode-se observar também que a segunda partícula negativa vem entre o auxiliar e o verbo principal, como acontece em todos os tempos compostos.*

— Est-ce qu'on a commencé?
Éss' coná comẽcê?
Já começaram?

— Oui, on a déjà fermé les portes.
Uí, oná dejá fe_r_mê le pó_rt_'.
Sim, já fecharam as portas.

Le passé avec *nous avons*:
Lĕ passê avéc nuzavõ:
O passado com nous avons:

Nous avons cherché un appartement partout.
Nuzavõ che_r_chê œ̃napa_r_tĕmẽ pa_r_tu.
Procuramos, por toda parte, um apartamento.

Nous en avons parlé à beaucoup de gens.
Nuzẽnavõ pa_r_lé a bocud' jẽ.
Falamos disso a muitas pessoas.

Mais nous n'avons rien trouvé.
Mé nu navõ ri̯ẽ t_r_uvê.
Mas não encontramos nada.

Hier, nous avons placé une annonce dans le journal.
Ié_r_, nuzavõ placê ůnanõss' dãl' ju_r_nal.
Ontem, colocamos um anúncio no jornal.

Le passé avec *vous avez*:
Lĕ passê avéc vuzavê:
O passado com vous avez:

Avez-vous passé un bon été?
Avê vu passê œ̃ bonetê?
Vocês passaram um bom verão?

On m'a dit que vous avez beaucoup voyagé.
Õ ma di quĕ vuzavê bocu vuaiajê.
Disseram-me que vocês viajaram muito.

Quel pays avez-vous aimé le mieux?
Quél peí avê vuzemê lĕ mi̯ĕ?
De que país vocês gostaram mais?

Le passé avec *ils ont* ou *elles ont*:
Lě passê avéc ilzõ u élzõ:
O passado com ils ont ou elles ont:

> Les Bernard ont été invités chez nous pour samedi.
> **Le Bernár' õ tetê ẽvitê chê nu pur samdi.**
> *Os Bernard foram convidados à nossa casa no sábado.*
>
> Mais ils n'ont pas accepté.
> **Mézil nõ pázacseptê.**
> *Mas eles não aceitaram.*
>
> Je sais qu'ils n'ont pas oublié.
> **Jě sé quil nõ pazubliê.**
> *Eu sei que eles não esqueceram.*

Voilà quelques exemples avec des
Vualá quélquězegzẽpl' avéc de
Eis alguns exemplos com

participes passés finissant en *i*, *s* et *t*:
particip' passê finissãtẽ i, éss, e tê:
particípios passados que terminam em i, s *e* t:

> *Particípios passados em* **i, s** *ou* **t**
> *Os exemplos de particípios passados que demos até agora são terminados em é, que é o caso da maioria dos verbos franceses. Eles pertencem ao 1.º grupo. Nos outros grupos, o particípio passado dos verbos mais usados é freqüentemente irregular; assim, é melhor aprendê-los separadamente, através do uso. Em geral, o particípio passado dos verbos do 2.º grupo* (ir) *termina em* i, *e o dos verbos do 3.º grupo* (re *ou* oir) *termina em* u.

Avez-vous fini de lire la lettre d'Hélène?
Avê vu fini dě lir la létr' delén'?
Você acabou de ler a carta de Hélène?

Qu'est-ce qu'elle vous a dit?
Quéss' quél' vuzá di?
O que ela disse?

— Elle a dit qu'elle a pris une décision importante.
Él a di quél' a pri ũn' decizió ẽportãt'.
Ela disse que tomou uma decisão importante.

Elle et son amie Marthe ont ouvert une boutique.
Él' e sonami Márt' õ tuvér ũn' butíc'.
Ela e sua amiga Marthe abriram uma loja.

— Quand ont-elles fait cela?
Cãtõtél' fé cĕlá?
Quando elas fizeram isso?

— Il y a deux semaines.
Iliá dĕ smén'.
Há duas semanas.

Elle a dit qu'elle a écrit des invitations
Él' a di quél' a ecri dezẽvitaciõ
Ela disse que escreveu convites

à tout le monde — et à vous aussi.
a túl' mõd — e a vuzossi.
para todo o mundo — e para você também.

Sans doute vous avez mis l'invitation
Sã dut vuzavê mi lẽvitaciõ
Você deve ter colocado o convite

de côté sans la lire.
dĕ cotê sã la lir.
de lado sem lê-lo.

Des participes passés finissant en *u*:
De particip' passê finissã tẽ ũ:
Particípios passados que terminam em u:

Excusez-nous! Nous n'avons pas pu venir plus tôt.
Ecscůzê nu! Nu navõ pa pů věnir plů tô.
Desculpe-nos! Não pudemos vir mais cedo.

J'ai dû attendre ma femme.
Jé dů atẽdr' ma fám'.
Tive que esperar minha mulher.

Il lui a fallu une heure pour s'habiller.
Il lůí a falů ůnóer pur sabii'ê.
Ela precisou de uma hora para se vestir.

> *Ser necessário — precisar*
> *Já vimos anteriormente os usos de* il faut.
>   Il faut partir. = *É preciso partir.*
>   Il me faut de l'argent. = *Preciso de dinheiro.*
> Il faut *é o presente do verbo* falloir *("ser preciso", "ser necessário");* fallu *é o particípio passado desse mesmo verbo.*
> *Portanto:*
>   Il a fallu partir. = *Foi preciso partir*
>   Il m'a fallu de l'argent. = *Precisei de dinheiro.*

Avez-vous lu l'article sur Henri Lamoureux?
Avê vu lů lartícl' sůr Ẽri Lamurě?
Você leu o artigo sobre Henri Lamoureux?

Je l'ai vu dans le journal de ce matin.
Jě lé vů dãl' jurnal dě cě matẽ.
Eu o vi no jornal da manhã.

Mais je ne l'ai pas encore lu.
Mé jěn' lé pazẽcór lů.
Mas ainda não o li.

J'ai entendu parler de lui.
Jé ẽtẽdů parlê dě lůí.
Eu ouvi falar dele.

J'en ai entendu parler
entendre dire = *ouvir dizer*
entendre parler = *ouvir falar (algo que foi dito sobre)*
J'ai entendu parler d'elle = *Ouvi algo sobre ela*
J'ai entendu dire que... = *Ouvi dizer que...*
J'en ai entendu parler = *Ouvi algo sobre isso*

Pensez donc! On dit qu'il a eu cinq femmes.
Pẽssê dõ! Õ di quil a ũ cẽ fám'.
Imagine só! Dizem que ele teve cinco mulheres.

> *Imagine!*
> Dependendo da intensidade, pode-se também usar *se figurer ou s'imaginer para demonstrar surpresa e incredulidade.*

Formidable! On peut dire qu'il a beaucoup vécu, n'est-ce pas?
Formidabl'! Õ pě dir quil a bocu vecũ, néss' pá?
Formidável! Pode-se dizer que ele tem muita vivência, não é?

Le verbe *avoir* lui-même
Lě vérb' avuar lůí mém'
O próprio verbo avoir

forme le passé avec *avoir*.
fórm' lě passê avéc avuar.
forma o passado com avoir.

> **Même**
> Même *significa "mesmo", "próprio". Combina-se com os pronomes oblíquos, formando:*
>   moi-même = *eu mesmo*
>   toi-même = *você mesmo*
>   vous-même = *você mesmo*
>   lui-même = *ele mesmo*
>   elle-même = *ela mesma*
>   soi-même = *si mesmo*
>   nous-mêmes = *nós mesmos*
>   vous-mêmes = *vocês mesmos*

eux-mêmes = *eles mesmos*
elles-mêmes = *elas mesmas*

— Hier j'ai eu un entretien avec le directeur.
Iér jé ů õẽ ẽtrẽtiẽ avéc lẽ directóer.
Ontem eu tive uma conversa com o diretor.

— Vraiment? Vous avez eu de la chance.
Vrémẽ? Vuzavê ů dla chãss'.
É mesmo? Você teve sorte.

Même le verbe *être* forme le passé avec *avoir*.
Mém' lẽ vérb' étr' fórm' lẽ passê avéc avuar.
Até o verbo être *forma o passado com* avoir.

Avez vous été à Marseille?
Avê vuzetê a Marséii'e?
Você esteve em Marselha?

Oui, j'y ai été au mois de mai.
Uí, ji é etê o muá dẽ mé.
Sim, estive lá no mês de maio.

Avez vous été chez Antoine?
Avê vuzetê chê zãtuán'?
Você esteve na casa de Antoine?

Oui. Il a été très étonné de me voir.
Uí. Ilá etê trẽ zetonê dẽ mẽ vuar.
Sim. Ele ficou muito surpreso de me ver.

CONVERSAÇÃO: O QUE ACONTECEU NO ESCRITÓRIO

LA SECRÉTAIRE:
La sĕcretér:
A SECRETÁRIA:
Bonjour, Monsieur le Directeur. Avez-vous fait un bon voyage?
Bõjur, Mĕssiê lĕ Directóer. Avê vu fé œ̃ bõ vuaiáj'?
Bom dia, senhor diretor. Fez uma boa viagem?

LE PATRON:
Lĕ patrô:
O PATRÃO:
Assez bon, merci. Dites-moi, est-ce qu'il y a eu quelque chose de nouveau?
Assê bõ, merci. Dit' muá, éss' quiliá ů quélquĕ chôz' dĕ nuvô?
Bastante boa, obrigado. Diga-me, houve algo de novo?

LA SECRÉTAIRE:
M. Gautier a vendu six voitures pendant votre voyage.
Mĕssiê Gotiê a vẽdů si vuatůr' pẽdã vótr' vuaiáj'.
O Sr. Gautier vendeu seis carros durante a sua viagem.

LE PATRON:
Très bien. Et les autres vendeurs, qu'est-ce qu'ils ont fait?
Tré biẽ. E lezotr' vẽdóer, quéss' quilzõ fé?
Muito bem. E os outros vendedores, o que fizeram?

LA SECRÉTAIRE:
Ils ont vendu quatre de nos nouveaux modèles,
Ilzõ vẽdů catr' dĕ no nuvô modél',
Eles venderam quatro de nossos novos modelos,

deux camions, sept camionettes et dix motocyclettes.
dĕ camiõ, sét camionét' e di motociclét'.
dois caminhões, sete caminhonetes e dez motocicletas.

224

LE PATRON:
> Qui a fait les dépôts en banque?
> **Qui a fé le depô ẽ bãc'?**
> *Quem fez os depósitos bancários?*

LA SECRÉTAIRE:
> Moi-même. Je les ai portés tous les jours avant midi.
> **Muá mém'. Jě lezé portê tu le jur avã midi.**
> *Eu mesma. Eu os levei todos os dias, antes do meio-dia.*

LE PATRON:
> Eh bien, je vois qu'on n'a pas perdu de temps
> **E biẽ, jě vuá cõ na pá perdůd' tẽ**
> *Bem, vejo que não se perdeu tempo*

> pendant mon absence.
> **pẽdã monabsẽss'.**
> *durante minha ausência.*

LA SECRÉTAIRE:
> Je crois bien. Tous les soirs j'ai du rester,
> **Jě cruá biẽ. Tu le suar jé dů restê,**
> *Acredito que não. Todas as tardes, eu precisei ficar mais,*

> pour terminer le courrier.
> **pur terminê lẽ curiê.**
> *para terminar a correspondência.*

LE PATRON:
> Et Michèle, est-ce qu'elle vous a été utile?
> **E Michél', éss' quél' vuzá etê ůtíl'?**
> *E Michèle, ela ajudou?*

LA SECRÉTAIRE:
> Elle a été absente pendant trois jours
> **Elá etê absẽt' pẽdã truá jur**
> *Ela faltou durante três dias*

à cause d'un rhume, rien de grave.
a côz dœ rům', riẽ dě grav'.
por causa de um resfriado, nada de grave.

LE PATRON:
Et la nouvelle réceptionniste,
E la nuvél' recepcionist',
E a nova recepcionista,

a-t-elle bien travaillé?
atél biẽ travaii'ê?
ela trabalhou bem?

LA SECRÉTAIRE:
Eh bien, à vrai dire, elle n'a pas fait grand-chose.
E biẽ, a vré dir, él na pá fé grã choz'.
Bem, na verdade, ela não fez grande coisa.

> ***Desaparecimento do* e *(feminino)***
> *Com algumas palavras, o* e, *que forma o feminino dos adjetivos, desaparece. Note o caso de:*
> grand-chose = *grande coisa*
> grand-mère = *avó*

Elle a passé la plus grande partie de son temps
Elá passê la plů grãd' parti dě sõ tẽ
Ela passou a maior parte de seu tempo

à bavarder au téléphone.
à bavardê o telefón'.
tagarelando no telefone.

LE PATRON:
Tiens! A propos de téléphone,
Tiẽ! A propô dě telefón',
Ah! Por falar em telefone,

y a-t-il eu des messages pour moi?
i atil ů de messáj' pur muá?
houve recados para mim?

LA SECRÉTAIRE:
Oui, et nous avons gardé une liste
Uí, e nuzavõ gardê ůn' list'
Sim, e nós conservamos uma lista

des appels téléphoniques.
dezapél' telefoníc'.
das chamadas telefônicas.

Une dame, Mademoiselle Renée Latour,
ůn' dám', Madmuazél' Rěnê Latur,
Uma moça, senhorita Renée Latour,

vous a appelé plusieurs fois.
vuzá aplê plůzióer fuá.
ligou várias vezes.

Elle n'a pas voulu laisser son numéro.
Él na pá vulů lessê sõ nůmerô.
Ela não quis deixar o número de telefone.

LE PATRON:
Voyons... Ah oui, je crois que je sais qui c'est.
Vuaiõ... A uí, jě cruá quě jě sé qui cé.
Vejamos... Ah sim, eu acho que sei quem é.

Où avez-vous mis mes messages?
Ú avê vu mi me messáj'?
Onde a senhora colocou meus recados?

LA SECRÉTAIRE:
Dans le tiroir de votre bureau.
Dãl' tiruar dě vótr' bůrô.
Na gaveta de sua escrivaninha.

227

Je l'ai fermée à clé. Voilà la clé.
Jě lé fermê a clê. Vualá la clê.
Eu a tranquei. Eis a chave.

> **Trancar**
> Fermer *é "fechar". Para expressar a idéia de "trancar" é preciso dizer* fermer à clé — *"fechar a chave".*

LE PATRON:
Mes compliments, mademoiselle, vous avez été discrète.
Me cõplimẽ, madmuazél', vuzavê zetê discrét'.
Felicitações, a senhorita foi discreta.

A propos,
A propô,
A propósito,

j'ai décidé de vous donner cette augmentation
jé decidê dě vu donê cét' ogmẽtaciõ
eu decidi dar-lhe aquele aumento

dont nous avons déjà parlé.
dõ nuzavõ dejá parlê.
de que já falamos.

> **Dont**
> Dont, *pronome relativo, é uma das palavras que têm muitos significados. É equivalente a "sobre o qual", "de que", "cujo", "de quem", conforme o contexto.*

LA SECRÉTAIRE:
Je vous remercie, Monsieur le Directeur.
Jě vu rěmerci, Měssiě lě Directóer.
Eu lhe agradeço, Sr. Diretor.

TESTE SEU FRANCÊS

Verta estas frases para o francês, usando o passado com *avoir*. Conte 10 pontos para cada resposta correta. Veja as respostas abaixo.

1. Ontem eu visitei o Museu. _____

2. Eu olhei os quadros. _____

3. Alguém telefonou? _____

4. Renée chamou. _____

5. Ela deixou recado? _____

6. Fez uma boa viagem? _____

7. De que cidade você (o sr.) gostou mais? _____

8. Eles não esqueceram. _____

9. O que ela lhe disse? _____

10. Não pudemos vir mais cedo. _____

Respostas: 1. Hier, j'ai visité le Musée. 2. J'ai regardé les tableaux 3. Est-ce que quelqu'un a téléphoné? 4. Renée a appelé. 5. A-t-elle laissé un message? 6. Avez-vous fait un bon voyage? 7. Quelle ville avez-vous aimée le mieux? 8. Ils n'ont pas oublié. 9. Qu'est-ce qu'elle vous a dit? 10. Nous n'avons pas pu venir plus tôt.

Resultado: _____ %

passo 20 FORMAÇÃO DO PASSADO COM O AUXILIAR *ÊTRE*

Certains verbes forment leur passé avec être.
Certẽ vérb' fórm' lœr passê avéc étr'.
Alguns verbos formam o passado com être *(ser).*

Des verbes comme *aller, venir, entrer, sortir,*
De vérb' cóm' alê, vênir, ẽtrê, sortir,
Verbos como ir, vir, entrar, sair,

arriver, partir, monter, descendre, rester, etc.
arivê, partir, mõtê, decẽdr', restê, etcetrá.
chegar, partir, subir, descer, ficar, *etc.*

> *"Ir", "vir", "ficar"*
> *Boa parte dos verbos que formam o passado com o auxiliar* être *são verbos de movimento, assim como os que expressam as idéias: "ir a", "chegar a", "vir de" e "ficar".*

Nous sommes arrivés en retard à cause d'un embouteillage.
Nu sóm' zarivê ẽ rětar a coz dœ nẽbuteii'áj'.
Nós chegamos atrasados por causa de um congestionamento.

> *Congestionamento*
> *Para "congestionamento" usa-se a palavra* embouteillage — *"engarrafamento".*

Nous sommes partis de chez nous très en avance.
Nu sóm' partid' chê nu tré zẽ avãss'.
Nós saímos de casa muito adiantados.

Nous sommes montés dans un taxi, Place de l'Opéra,
Nu sóm' mõtê dãzœ̃ tacsí, Pláss' de loperá,
Subimos num táxi, na Place de l'Opéra,

et le taxi est allé jusqu'à la Place Vendôme,
e lĕ tacsí étalê jŭsca la Pláss' Vẽdóm',
e o táxi foi até a Place Vendôme,

mais il y est resté une demi-heure sans bouger...
mézilié restê ŭn' dĕmi œr sã bujê...
mas ficou lá meia hora sem se mover...

alors nous sommes descendus du taxi,
alór nu sóm' descẽdŭ dŭ tacsí,
então, nós descemos do táxi,

et nous sommes venus par le métro.
e nu sóm' vĕnŭ parl' metrô.
e viemos de metrô.

> *Concordância com o sujeito*
> *Os verbos que formam o passado com o verbo* être *como auxiliar concordam com o sujeito, em gênero e número; é por isso que* nous sommes venus *tem um* s *no particípio passado. Se as pessoas dentro do táxi fossem todas do sexo feminino, deveríamos dizer* nous sommes venues.
> *Essa regra aplica-se também aos outros tempos compostos.*

Tous les verbes pronominaux comme
Tu le vérb' pronominô cóm'
Todos os verbos pronominais como

se lever, se laver, s'habiller, s'amuser, etc.
sĕ lĕvê, sĕ lavê, sabii'ê, samŭzê, etcetrá.
levantar-se, lavar-se, vestir-se, divertir-se, *etc.*

forment aussi leur passé avec être.
fórm' ossi lœr passê avéc étr'.
também formam o passado com être.

> *"Nascer" e "morrer"*
> *Há dois outros verbos que formam o passado com* être: naître *("nascer")* e mourir *("morrer"); esses verbos são também, de certa forma, ligados com chegar a um determinado lugar ou deixá-lo.*
> *Eis um exemplo do passado:*
> Napoléon est né en Corse et il est mort à Sainte-Hélène à l'âge de 52 ans.
> *Napoleão nasceu na Córsega e morreu em Santa Helena, com 52 anos de idade.*

Ce matin, je me suis levé de bonne heure.
Cĕ matẽ, jĕ mĕ sŭí lĕvê dĕ bonœr.
Esta manhã, eu me levantei cedo.

Je me suis habillé en vitesse.
Jĕ mĕ sŭí zabii'ê ẽ vitéss'.
Eu me vesti rapidamente.

Je me suis dit: Pour une fois je ne serai pas en retard.
Jĕ mĕ sŭí di: Pur ŭn' fuá jĕ nĕ sré pázẽ rĕtar.
Eu disse a mim mesmo: Pelo menos uma vez, não vou atrasar.

Et je me suis dépêché pour partir à l'heure.
E jĕ mĕ sŭí depechê pur partir a lœr.
E eu me apressei para sair na hora.

Au moment où je me suis assis,
O momẽ u jĕ mĕ sŭizassí,
Assim que eu me sentei,

pour prendre mon petit déjeuner,
pur prendr' mõ pti dejœnê,
para tomar o meu café da manhã,

Marie s'est coupée en coupant le pain.
Mari sé cupê ẽ cupã lẽ pẽ.
Marie se cortou ao cortar o pão.

En la soignant, je me suis mis en retard.
Ẽ la suanhã, jẽm' sůí mizẽ r̲etár̲.
Ao cuidar dela, eu me atrasei.

> **En**
> *Observe como* en, *certamente uma das palavras mais importantes do francês, é usada nas diferentes expressões:*
>   en le soignant = *ao cuidar dele*
>   en retard = *tarde (atrasado)*
>   en avance = *cedo (adiantado)*
>   il ne s'en est pas aperçu = *ele não percebeu isto*
> En *também é usado para dar um significado particular a alguns verbos:*
>   s'en aller = *sair, partir*
>   s'en faire = *preocupar-se*
>   en vouloir à = *ter algo contra (alguém)*

Heureusement, quand je suis arrivé au bureau,
Ẽr̲ẽz'mẽ, cã jẽ sůizar̲ivê o bůr̲ô,
Felizmente, quando cheguei ao escritório,

le patron ne s'en est pas aperçu.
lẽ patr̲õ nẽ s'ẽ né pazaper̲çů.
o patrão não percebeu.

> *Verbos pronominais no passado*
> *Todos os verbos pronominais são conjugados, no passado, com o presente do verbo* être. *Nesse caso estão incluídos os verbos pronominais reflexivos recíprocos como* se voir *("ver um ao outro"),* s'entendre *("compreender um ao outro") e* se parler *("falar um com o outro").*
> Nous nous sommes vus hier = *Nós nos vimos ontem*

Le participe passé avec *être* s'accorde avec le sujet:
Lẽ par̲ticip' passê avéc étr̲' sacór̲d' avéc lẽ sůjé:
O particípio passado com être *concorda com o sujeito:*

Monsieur est sorti. Madame est sortie aussi.
Mẽssiẽ é so̱rti. Madám' é so̱rti ossi.
O senhor saiu. A senhora também saiu.

Monsieur - madame
Monsieur *e* madame *são freqüentemente usados sem o nome próprio que os segue, não somente quando nos dirigimos diretamente a alguém, mas também quando falamos de alguém cujo nome já foi mencionado.*
Monsieur *pode ser precedido por artigo; mas* madame *torna-se* dame, *quando precedido por artigo (definido ou indefinido).*
  Un monsieur est entré et une dame est sortie.
  Entrou um senhor e saiu uma senhora.

Ils ne sont pas encore revenus.
Il nẽ sõ pá zẽco̱ṟ ṟẽvnũ.
Eles ainda não voltaram.

Concordância do particípio passado
Como vimos no Passo 18, o particípio passado concorda em gênero e número com o substantivo a que se refere. Aqui, como parte de uma construção verbal com être, *ele concorda com o sujeito. Porém, com os verbos que formam o passado com o verbo* avoir, *teremos outra regra. A concordância desses particípios é feita com o complemento de objeto direto, e somente quando ele precede o verbo. Veja os exemplos abaixo:*

— Qui a pris la lettre que j'ai mise sur la table?
Qui a pri la létṟ' quẽ jé miz' sũṟ la tabl'?
Quem pegou a carta que eu coloquei sobre a mesa?

— Personne ne l'a prise.
Peṟsón' nẽ la pṟiz'.
Ninguém a pegou.

— Vous l'avez mise dans votre poche.
Vu lavê miz' dã vótṟ' póch'.
O senhor a colocou em seu bolso.

— Et les autres lettres, vous les avez écrites?
E lezotr' létr', vu lezavê ecrit'?
E as outras cartas, a senhorita as escreveu?

— Oui, et on les a déjà mises à la poste.
Uí, e õ lezá dejá miz' a la póst'.
Sim, e já foram colocadas no correio.

> *Atenção*
> *Na maioria das vezes, essa concordância só será notada na linguagem escrita. Porém, quando o particípio passado termina em* s *ou* t, *pode-se também percebê-la na linguagem falada.*
> *As coisas que eu vi* = Les choses que j'ai vues *(aqui não se pode perceber a concordância pela pronúncia).*
> *As coisas que eu disse* = Les choses que j'ai dites *(aqui a concordância é percebida, porque há diferença de pronúncia —* dites *pronuncia-se [dit']).*

CONVERSAÇÃO: O QUE ACONTECEU NA FESTA

PIERRE:
Piér:
PIERRE:
    Est-ce que tu t'es bien amusé hier soir?
    Éss' quê tû té biẽ namŭzê iér suar?
    Você se divertiu ontem à noite?

FRANÇOIS:
Frãçuá:
FRANÇOIS:
    Comme ci, comme ça. Je suis sorti avec Marcelle.
    Cóm' ci, cóm' ça. Jě sŭí sorti avéc Marcél'.
    Mais ou menos. Eu saí com Marcelle.

PIERRE:
    Et qu'est-ce qui est arrivé?
    E quéss' qui é tarivê?
    E o que aconteceu?

FRANÇOIS:
    Elle s'est fâchée avec moi.
    Él sé fachê avéc muá.
    Ela se zangou comigo.

PIERRE:
    Tiens, pourquoi? Qu'est-ce qui s'est passé?
    Tiẽ, purquá? Quéss' qui sé passê?
    Mas por quê? O que aconteceu?

FRANÇOIS:
Nous sommes allés chez Léon.
Nu sóm' zalê chê Leõ.
Fomos à casa de Léon.

On a dansé, chanté et on s'est bien amusé.
Oná dãssê, chãtê e õ sé biẽ namůzê.
Dançamos, cantamos e nos divertimos.

Tout a très bien marché,
Tuta tré biẽ marchê,
Tudo correu muito bem,

> **Ça marche**
> Marcher, *literalmente "andar", é usado, assim como* aller, *para indicar que algo vai indo bem.*
> ça marche = *vai indo bem, está dando certo*
> ça ne marche pas = *não está correndo bem, não está funcionando*

jusqu'à l'arrivée de Béatrice.
jůsca larivê dể Beatríss'.
até Béatrice chegar.

Elle m'a fait les yeux doux.
Él ma fé leziể du.
Ela me provocou um pouquinho.

> **Les yeux doux**
> *As expressões coloquiais não podem ser traduzidas literalmente. No caso de* faire les yeux doux, *"fazer olhos doces", teríamos a expressão "dar bola", que significa provocar um pouco.*

J'ai dansé un peu avec elle.
Jé dãssê ởe pể avéc él.
Eu dancei um pouco com ela.

Et nous avons bavardé un moment.
E nuzavõ bavar̲dê õe momẽ.
E nós conversamos por uns minutos.

PIERRE:

Je vois! Et Marcelle s'est mise en colère.
Jê vuá! E Mar̲cél' sé miz' ẽcolér̲'.
Já percebi! E Marcelle ficou zangada.

FRANÇOIS:

Exactement. Et elle a voulu rentrer tout de suite.
Egzactêmẽ. E éla vulŭ r̲ẽtr̲ê tud' sŭit.
Exatamente. E ela quis voltar para casa imediatamente.

Je n'ai pas pu la calmer.
Jê né pá pŭ la calmê.
Eu não pude acalmá-la.

J'ai dû appeler un taxi pour la ramener chez elle.
Jé dŭ aplê õe tacsí pur̲ la ramnê chezél'.
Precisei chamar um táxi para levá-la para casa.

Quand je l'ai quittée, elle ne m'a dit ni merci ni au revoir.
Cã jê lé quitê, él nĕ ma di ni mer̲ci ni or̲vuar̲.
Quando eu a deixei, ela não disse nem obrigada nem até logo.

PIERRE:

Et ce matin, tu lui as parlé?
E cĕ matẽ, tŭ lŭí a par̲lê?
E hoje de manhã, você falou com ela?

FRANÇOIS:

Bien sûr. Je lui ai téléphoné.
Biẽ sŭr̲. Jê lŭí é telefonê.
Claro. Eu lhe telefonei.

J'ai essayé de lui parler.
Jé esseiê dĕ lŭí par̲lê.
Eu tentei falar com ela.

De *seguido pelo infinitivo*
Essayer *("tentar") é outro verbo que pede* de *antes do infinitivo.*
   Essaye de le faire!
   Tente fazê-lo!
Outros verbos importantes que seguem a mesma regra são:
   cesser de = *parar (de)*
   se dépêcher de = *apressar-se (para)*
   dire de = *dizer (para)*
   promettre de = *prometer*
   refuser de = *recusar*
   remercier de = *agradecer (por)*
   finir de = *acabar (de)*
   permettre de = *permitir*
   oublier de = *esquecer*
   avoir peur de = *ter medo (de)*
   venir de = *acabar (de)*

Mais elle a raccroché
Mézéla racrochê
Mas ela desligou

dès qu'elle a reconnu ma voix.
dé quél a rèconû ma vuá.
assim que reconheceu minha voz.

   Dès que
   Dès que *significa "logo que", "assim que".*

Que veux-tu? Marcelle a toujours été jalouse.
Quê vêtû? Marcél a tujur etê jaluz'.
O que é que você esperava? Marcelle sempre foi ciumenta.

   Que veux-tu? — que voulez-vous?
   Que veux-tu? *ou, mais formalmente,* que voulez-vous? *significam literalmente "o que é que você quer?" Mas idiomaticamente traduzimos por: "O que é que você esperava?", "o que é que você pode fazer?", "é assim mesmo", "não poderia ser diferente".*

Pour avoir la paix, envoie-lui donc des fleurs,
Pur avuar la pé, ẽvuá lůí dõ de flóer,
Para fazer as pazes, mande-lhe umas flores,

si tu ne l'as pas encore fait.
si tůn' la pazẽcór fé.
se você ainda não o fez.

TESTE SEU FRANCÊS

Coloque os particípios passados, nas seguintes construções, com o verbo *être*. Conte 10 pontos para cada resposta certa. Veja as respostas a seguir.

1. Nous sommes _____ en retard. (fém.)
   (arriver)

2. Nous sommes _____ du taxi. (masc.)
   (descendre)

3. Nous sommes _____ par le métro. (masc.)
   (venir)

4. Je me suis _____ de bonne heure. (masc.)
   (lever)

5. Je me suis _____ en vitesse. (fém.)
   (habiller)

6. Je me suis _____ . (masc.)
   (se presser)

7. Qu'est-ce qui est _____ ?
   (arriver)

8. Nous sommes _____ chez Léon. (masc.)
   (aller)

9. Monsieur Durand est _____ .
   (partir)

10. Madame Albert n'est pas encore _____ .
(arriver)

Respostas: 1. arrivées; 2. descendus; 3. venus; 4. levé; 5. habillée; 6. dépêché; 7. arrivé; 8. allés; 9. parti; 10. arrivée.

Resultado: _____ %

passo 21 USO DO CONDICIONAL PARA PEDIDOS E CONVITES

On se sert souvent du conditionnel
Õ sẽ sér suvẽ dü cõdicionél
Usamos freqüentemente o condicional

dans des invitations et des suggestions.
dã de zẽvitaciõ e de sügjestiõ.
em convites e sugestões.

Voudriez-vous quelque chose à boire?
Vudriê vu quélquẽ chôz' a buar?
Gostaria de algo para beber?

Est-ce que votre femme pourrait se joindre à nous?
Éss' quẽ vótr' fám' puré sẽ juãdr' a nu?
Sua esposa poderia juntar-se a nós?

O condicional
*Em francês, como em português, o condicional nem sempre indica uma condição. Muitas vezes é usado por polidez, substituindo o presente do indicativo, para tornar mais suave um pedido, uma sugestão ou um conselho.
Je voudrais ("eu gostaria") é menos direto do que je veux ("eu quero"), sendo respectivamente o condicional e o presente do indicativo do verbo vouloir ("querer").
Assim, é mais polido dizer je voudrais. O condicional é formado exatamente do mesmo modo que o futuro, sendo que as desinências são diferentes. Observe o condicional presente de* parler: — je parlerais, tu parlerais, il parlerait, nous parlerions, vous parleriez, ils parleraient.

Os sons são iguais, excetuando-se a primeira e a segunda pessoas do plural, que terminam respectivamente em ion e iez. Os verbos que formam o futuro de forma irregular seguem a mesma irregularidade para o condicional, observando-se as diferenças nas terminações.

Voilà un court dialogue avec le conditionnel:
Vualá őe cur dialóg' avéc lě cõdicionél:
Eis um curto diálogo com o condicional:

— Est-ce que je pourrais prendre une photo de vous?
  Éss' quě jě puré prědr' ůn' fotô dě vu?
  Eu poderia tirar uma foto sua?

— En prendriez vous une de moi?
  Ẽ prědriê vu ůn' de muá?
  O senhor tiraria uma de mim?

— Par ce beau temps, ne voudriez-vous pas
  Par cě bô tẽ, ně vudriê vu pá
  Com esse tempo lindo, o senhor não gostaria

  faire une promenade en voiture?
  fér ůn' proměnad ẽ vuatůr?
  de fazer um passeio de automóvel?

  On pourrait aller au Restaurant
  Õ puré alê o Restôrã
  Poderíamos ir ao Restaurante

  du Bois pour déjeuner.
  dů Buá pur dejěnê.
  do Bosque para almoçar.

  Est-ce que ça vous plairait?
  Éss' quě ça vu pleré?
  O senhor gostaria (disso)?

— J'aimerais bien, mais pas aujourd'hui.
Jémḙré biḙ̃, mé pá ojur̲dů́í.
Gostaria sim, mas não hoje.

— Alors, est-ce que ce serait possible demain?
Alór̲, éss' quḙ̂ cḙ̂ sḙ̱ré possíbl' dḙ̂mḙ̃?
Então, amanhã seria possível?

— Oui, je crois que demain je pourrais.
Uí, jḙ̂ cr̲uá quḙ̂ dḙ̂mḙ̃ jḙ̂ pur̲é.
Sim, acho que amanhã eu poderia.

Voilà comment on se sert du conditionnel
Vualá comḙ̃ õ se sér̲ dů cõdicionél
Eis como se utiliza o condicional

pour demander quelque chose poliment.
pur̲ dḙ̂mãdê quélquḙ̂ chôz' polimḙ̃.
para pedir algo com polidez.

— Pourriez-vous me rendre un service?
Pur̲iê vu mḙ̂ r̲ḙ̃dr̲' œ̃ ser̲víss'?
O senhor poderia me fazer um favor?

Vous serait-il possible
Vu sḙ̱retil possíbl'
Seria possível

de me prêter cinquante francs?
dḙ̂ mḙ̂ pr̲etê cḙ̃cãt' fr̲ã?
o senhor me emprestar cinqüenta francos?

Je pourrai vous les rendre dans une semaine.
Jḙ̂ pur̲é vu le r̲ḙ̃dr̲' dãzůn' sḙ̂mén'.
Eu poderei devolvê-los em uma semana.

— Je voudrais bien, mais je n'ai pas d'argent sur moi.
Jḙ̂ vudr̲é biḙ̃, mé jḙ̂ né pá dar̲jḙ̃ sůr̲ muá.
Eu gostaria, mas não tenho dinheiro comigo.

— N'auriez-vous pas au moins vingt francs?
Noriê vu pá zomuã vẽ frã?
O senhor não teria pelo menos vinte francos?

On se sert aussi du conditionnel pour raconter
Õ sě sér ossi du cõdicionél pur racôtê
Utilizamos também o condicional para contar

ce qui a été dit au passé sur des projets futurs.
cě qui a etê di o passê sůr de projé fůtůr.
o que foi dito no passado a respeito de projetos futuros.

— Le directeur vous a-t-il demandé
Lě directóer vuzatil děmãdê
O diretor lhe perguntou

quand vous prendriez vos vacances?
cã vu prědriê vo vacãss'?
quando o senhor tiraria suas férias?

> *Planos futuros*
> *Quando contamos o que alguém disse, no passado, sobre planos futuros, usamos o condicional. Compare:*
>> Il dit qu'il vous verra demain.
>> *Ele diz que o verá amanhã.*
>>
>> Il a dit qu'il vous verrait demain.
>> *Ele disse que o veria amanhã.*

— Non, mais il m'a dit qu'il serait absent en juillet,
Nõ, mézil ma di quil sěré tabsẽ ẽ juii'ê,
Não, mas ele me disse que estaria ausente em julho,

et qu'en août il aurait un congrès en Amérique.
e quẽnut il oré õe cõgré ẽnameríc'.
e que em agosto teria um congresso na América.

— En ce cas, il vaudrait mieux
ẽ cě cá, il vodré miě
Nesse caso, seria melhor

prendre les vôtres plus tard.
pr̃edr' le votr' plŭ tar.
tirar as suas mais tarde.

Vous devriez lui demander
Vu dĕvriê lŭí dĕmãdê
O senhor deveria lhe perguntar

si vous pourriez les prendre en septembre,
si vu puriê le pr̃edr' ẽ setẽbr',
se poderia tirá-las em setembro,

ainsi vous n'auriez pas de difficulté
ẽssi vu noriê pád' dificŭltê
assim o senhor não teria dificuldade

à trouver une chambre dans les hôtels.
a truvê ŭn' chãbr' dã lezotél.
para encontrar quarto nos hotéis.

CONVERSAÇÃO: RECADO POR TELEFONE

— Allô! Est-ce que je pourrais parler avec Mme. Jolivet?
Alô! Éss' quê jě puré parlê avéc Madám' Jolivé?
Alô! Eu poderia falar com a senhora Jolivet?

— Elle n'est pas là, monsieur; elle est sortie.
Él né pá lá, měssiě; él é sorti.
Ela não está, senhor; ela saiu.

— Mais elle m'a dit qu'elle serait chez elle à six heures!
Mézel ma di quél' sěré chêzél a sizóer!
Mas ela me disse que estaria em casa às seis horas!

Elle ne vous a pas dit quand elle reviendrait?
Él' ně vuzá pá di cātél' rěviědré?
Ela não lhe disse quando voltaria?

— Elle a dit qu'elle serait peut-être en retard,
Él' a di quél' sěré pětétr' ē rětar,
Ela disse que talvez chegasse tarde,

qu'elle aurait des courses à faire,
quél' oré de curs' a fér,
que ela teria compras a fazer,

et qu'après elle irait prendre le thé avec une amie,
e capré él iré prēdr' lě tê avéc ůnami,
e que depois iria tomar chá com uma amiga,

et qu'elle rentrerait chez elle à six heures environ.
e quél' rētrěré chêzél' a sizóer ēvirō.
e que voltaria para casa por volta das seis horas.

Auriez-vous la bonté de rappeler plus tard?
Oriê vu la bõtê dĕ rap'lê plŭ tar?
O senhor teria a bondade de telefonar de novo mais tarde?

— Bien entendu. Mais voudriez-vous bien lui dire
Biẽnētĕdŭ. Mé vudriê vu biẽ lŭí dir
Tudo bem. Mas poderia dizer-lhe

que M. Blanchard a téléphoné?
quĕ mĕssiĕ Blāchar a telefonê?
que o senhor Blanchard telefonou?

Allô
Eis algumas outras expressões que podem ser úteis ao telefone.

Ne quittez pas. = *Fique na linha.*
La ligne est occupée. = *A linha está ocupada.*
A quel numéro est-ce que je peux l'atteindre? = *Em que número posso encontrá-lo?*
Vous vous êtes trompé de numéro. = *Você se enganou, você ligou para o número errado.*
Je m'excuse *ou* Excusez-moi. = *Desculpe.*

TESTE SEU FRANCÊS

Verta para o francês. Conte 10 pontos para cada resposta correta. Veja as respostas abaixo.

1. Você deveria visitar Montmartre.

2. Ele disse que viria às oito.

3. Quanto tempo levaria isso?

4. Você gostaria de algo para beber?

5. Eu gostaria de comprar alguns selos.

6. Eu poderia tirar uma foto?

7. Seria melhor partir imediatamente. (use *valoir*)

8. Gostaríamos de ver Versalhes.

9. Eu poderia falar com Marcelle?

10. Vocês poderiam fazê-lo?

Respostas: 1. Vou devriez visiter Montmartre. 2. Il a dit qu'il viendrait à huit heures. 3. Combien de temps cela prendrait-il? 4. Voudriez-vous quelque chose à boire? 5. Je voudrais acheter des timbres. 6. Pourrais-je prendre une photo? 7. Il vaudrait mieux partir tout de suite. 8. Nous voudrions voir Versailles. 9. Est-ce que je pourrais parler à Marcelle? 10. Pourriez-vous le faire?

Resultado: _____ %

passo 22 — O IMPERFEITO — TEMPO USADO NAS NARRATIVAS

Quand on emploie des expressions comme:
Cãtõ nẽpluá desecspressiõ cóm':
Quando empregamos expressões como:

"Mon père disait toujours..."
"Mõ pér dizé tujur..."
"Meu pai dizia sempre..."

ou "quand j'étais jeune..."
u "cã jẽté jẽn'..."
ou "quando eu era jovem..."

ou "lorsque nous vivions en Provence..."
u "lórsc' nu viviõ ẽ Provẽss'..."
ou "quando morávamos na Provence..."

ou "quand nous étions au lycée..."
u "cã nuzetiõ ô licê..."
ou "quando estávamos no colégio..."

ou d'autres phrases décrivant des actions
u dotre fraz' decrivã desacsiõ
ou outras frases descrevendo ações

répétées ou continuées dans le passé
repetê u cõtinûê dãl' passê
habituais ou contínuas no passado

251

nous employons l'imparfait.
nuzẽpluaiõ lẽparfé.
empregamos o imperfeito.

> *Usos do imperfeito*
> *O imperfeito é usado para traduzir ações habituais e ações em curso, no passado. Por exemplo, para dizer que se esteve vivendo em algum lugar por um certo período de tempo, usa-se o imperfeito. Este tempo também é usado para descrições, seja de algo que acontecia freqüentemente, seja das circunstâncias em que outra ação se produzia.*
> *Naquela época morávamos em Paris.*
> À cette époque nous habitions Paris.

> *Ele esquiava todos os invernos,*
> Il faisait du ski tous les hivers,

> *mas no inverno passado ele quebrou a perna.*
> mais l'hiver passé il s'est cassé la jambe.

Pour reconnaître l'imparfait
Pur rĕconétr' lẽparfé
Para reconhecer o imperfeito

dans la conversation, remarquez
dã la cõversaciõ, rĕmarquê
na conversação, observe

le son *ais* à la fin du verbe
lĕ sõ é a la fẽ dũ verb'
o som ais *no final do verbo*

pour la plupart des personnes,
pur la plŭpar de persón',
para a maioria das pessoas,

le son final *ions* pour *nous,*
lĕ sõ final iõ pur nu,
o som final ions *para* nous

et le son final *iez* pour *vous*,
e lẽ sõ final iê pur̲ vu,
e o som final iez para vous,

comme pour le conditionnel.
cóm' pur̲ lẽ cõdicionél'.
como para o condicional.

> ***Desinências do imperfeito***
> *As desinências do imperfeito são exatamente as mesmas do condicional. O som-chave é* ais *[é] (ou* ait *ou* aient, *que se pronunciam da mesma forma). Mas, na formação do imperfeito, não são acrescentadas ao infinitivo, e sim ao radical do verbo.*
> *eu falaria* = je parlerais
> *eu falava* = je parlais

On emploie l'imparfait pour raconter des souvenirs:
õ nẽpluá lẽpar̲fé pur̲ r̲acõtê de suvnír̲:
O imperfeito é usado para relatar lembranças:

La vie était trés difficile pendant la guerre.
La vi eté tr̲é dificíl' pẽdã la guér'.
A vida era muito difícil durante a guerra.

Vous n'étiez pas ici.
Vu netiê pá zici.
Vocês não estavam aqui.

Vous ne savez pas ce que c'était.
Vu nẽ savê pá cẽ quẽ ceté.
Vocês não sabem como era.

Il n'y avait pas d'essence.
Il ni avé pá dessẽss'.
Não havia gasolina.

On ne pouvait pas se servir de sa voiture.
Õ nẽ puvé pá sẽ ser̲vir̲ de sa vuatůr̲.
Não se podia usar o automóvel.

Quand on voulait aller quelque part,
Cãtõ vulé alê quélquẽ pár,
Quando se queria ir a algum lugar,

on devait y aller à bicyclette ou à pied,
õ devé i alê a biciclét u a piê,
era preciso ir de bicicleta ou a pé,

ou par le métro... quand il marchait.
u par lẽ metrô... cãtil marché.
ou de metrô... quando ele funcionava.

Il y avait des cartes d'alimentation,
Iliavé de cart' dalimẽtaciõ,
Havia cartões de racionamento,

et il n'y avait pas grande chose dans les magasins.
et il ni avé pá grãd' chôz dã le magazẽ.
e não havia muita coisa nas lojas.

Heureusement nous avions des parents à la campagne.
Ếrẽzmẽ nuzaviõ de parẽ a la cãpánh'.
Felizmente nós tínhamos parentes no campo.

Une fois par semaine nous allions les voir à bicyclette.
ůn' fuá par sẽmén nuzaliõ le vuár a biciclét'.
Uma vez por semana íamos vê-los de bicicleta.

Ils nous donnaient des oeufs, du beurre et du fromage.
Il nu doné desẽ, dů bœr e dů fromáj'.
Eles nos davam ovos, manteiga e queijo.

Quand on raconte l'histoire ou des histoires,
Cãtõ racõt' listuar u desistuar,
Quando narramos a história ou estórias,

on se sert souvent de l'imparfait:
õ sẽ sér suvẽ dẽ lẽparfé:
usamos freqüentemente o imperfeito:

254

Marie Antoinette, reine de France, avait dans son boudoir
Marí Ãtuanét', rén' dě Frãss, avé dã sõ buduar
Maria Antonieta, rainha da França, tinha em seu quarto de vestir

> *Por que* **boudoir?**
> *A palavra* boudoir *vem do verbo* bouder — *amuar-se.*
> *Em outras palavras, "um lugar para uma senhora amuar-se".*

un miroir où elle se regardait
œ̌ miruar u él' sě rěgardé
um espelho onde ela se olhava

pendant qu'on l'habillait.
pẽdã cõ labii'é.
enquanto a vestiam.

Ce miroir était attaché au mur et,
Cě miruar eté tatachê o mǔr e,
Esse espelho era preso à parede e,

à cause d'une imperfection dans le verre,
a côz' dǔn' ẽperfecciõ dãl' vér',
devido a uma imperfeição no vidro,

la reine pouvait y voir quelquefois son corps, mais pas sa tête.
la rén' puvé i vuár quélquěfuá sõ cór, mé pá sa tét'.
a rainha às vezes podia ver seu corpo, mas não sua cabeça.

Peut-être était-ce l'annonce
Pětétr' etéss' lanõss'
Talvez esse fosse o anúncio

du destin qui l'attendait.
dǔ destẽ qui latẽdé.
do destino que a esperava.

Heureusement, elle n'en savait rien.
Ěrězmẽ, él nẽ savé riẽ.
Felizmente, ela não sabia nada a esse respeito.

255

L'imparfait exprime aussi l'interruption au passé:
Lẽ parfé ecsprim' ossi lẽ terũpciõ o passê:
O imperfeito expressa também a interrupção no passado:

J'étais tranquillement en train de dormir,
Jeté trãquilmẽ ẽ trẽ de dormir,
Eu estava dormindo tranqüilamente,

quand le téléphone a sonné.
cã lẽ telefón' a sonê.
quando o telefone tocou.

> *Eis um bom exemplo do uso do imperfeito para descrever uma ação em curso no momento em que ocorre uma outra, geralmente mais curta. Para a ação que interrompe aquela que é expressa pelo imperfeito, usamos geralmente o "passé composé".*

C'était Raymond, cet imbécile;
Ceté Remõ, cetẽ becil';
Era Raymond, aquele imbecil;

il voulait savoir le numéro de Chantal.
il vulé savuar lẽ nũmerô d' Chãtál.
ele queria saber o número (telefone) de Chantal.

Je lui ai dit que je n'aimais pas repondre
Jẽ lũí é di quẽ jẽ nemé pá repõdr'
Eu lhe disse que não gostava de atender

au téléphone quand je dormais.
o telefón' cã jẽ dormé.
ao telefone quando estava dormindo.

CONVERSAÇÃO: REUNIÃO DE FAMÍLIA — RECORDANDO O PASSADO

LUI:
Lůí:
ELE:

Nous allons dîner chez mes grands-parents.
Nuzalõ dinê chê me grã parẽ.
Vamos jantar na casa de meus avós.

Il te parleront beaucoup de moi. Ils raconteront
Il tẻ parlerõ bocud' muá. Il racõterõ
Eles lhe falarão muito a meu respeito. Eles contarão

comment j'étais et tout ce que je faisais
comẽ jeté e tuss' quẻ jẻ fezé
como eu era e tudo o que eu fazia

quand j'étais petit.
cã jeté pẻti.
quando eu era pequeno.

LA GRAND-MÈRE:
La grã mér:
A AVÓ:

Vous savez, Richard passait tous les étés chez nous, en Savoie.
Vu savê, Richar passé tu lezetê chê nu, ẽ Savuá.
Sabe, Richard passava todos os verões em nossa casa, na Savoie.

C'etait un beau petit garçon.
Cetétœ bô pti garçõ.
Era um belo menininho.

Il était très intelligent
Il eté trézē̄teligē̄
Ele era muito inteligente

mais il nous donnait du mal.
mézil nu doné dů mal'.
mas ele nos dava trabalho.

LE GRAND-PÈRE:
Le grã pé<u>r</u>:
O AVÔ:

Il partait sans dire où il allait.
Il pa<u>r</u>té sã ·dir' u ilalé.
Ele saía sem dizer aonde ia.

Parfois, il faisait tout seul des promenades en montagne.
Pa<u>r</u>fuá, il fezé tu sḕl de p<u>r</u>omnad' ē mõtánh'.
Às vezes, ele ia passear sozinho nas montanhas.

LA GRAND-MÈRE:
Nous ne savions jamais où il pouvait être.
Nun' saviõ jamé u il puvé étr'.
Nós nunca sabíamos onde ele podia estar.

Il inventait des jeux violents.
Il ē̄vē̄té de jē̄ violē̄.
Ele inventava brincadeiras violentas.

Il avait sa bande de garçons qui jouaient à la guerre
Il avé sa bãd' dē̄ ga<u>r</u>çõ qui juéta la gué<u>r</u>'
Ele tinha sua turma de garotos que brincavam de guerra

et se jetaient des pierres et des pétards.
e sḕ jeté de pié<u>r</u>' e de peta<u>r</u>.
e atiravam pedras e "torpedos" uns nos outros.

Les voisins protestaient...
Le vuazē̄ p<u>r</u>otesté...
Os vizinhos protestavam...

LE GRAND-PÈRE:
Au cinéma, il aimait surtout les Westerns;
O cinemá, il emé sůrtú le Vestérn';
No cinema, ele gostava mais dos westerns;

il voulait aller en Amérique voir les cow-boys et les peaux-rouges.
il vulétalê ẽ Americ' vuar le coubói e le pôrúj'.
ele queria ir à América ver os caubóis e os peles-vermelhas.

LA GRAND-MÈRE:
Mais avec nous il était toujours si affectueux.
Mézavéc nú il eté tujur si afectůê.
Mas conosco ele era sempre tão carinhoso.

Quand il est parti pour les États-Unis,
Cãtíl é parti pur lezetázůní,
Quando ele partiu para os Estados Unidos,

nous pensions qu'il allait simplement visiter le pays
nu pẽssiõ quil alé sẽplěmẽ visitê lě peí
nós pensávamos que ele ia somente visitar o país

et qu'il devait bientôt revenir.
e quil děvé biẽtô rěvnir.
e que ele devia voltar logo.

Nous ne savions pas naturellement
Nún' saviõ pá natůrélmẽ
Nós não sabíamos, é claro,

qu'il allait épouser une américaine.
quil alé epuzê ůnameriquén'.
que ele ia casar-se com uma americana.

LE GRAND-PÈRE:
Mais une américaine très charmante.
Mézůnameriquén' tré charmãt'.
Mas uma americana encantadora.

Nous voulions beaucoup faire votre connaissance.
Nu vulliõ bocu fér vótr' conessäss'.
Nós queríamos muito conhecê-la.

LA GRAND-MÈRE:
Venez, mes enfants. Le dîner est servi.
Vênê, mezêfã. Lë dinê é servi.
Venham, meus filhos. O jantar está servido.

> *A polidez*
> *Ao jantar em casa de amigos não esqueça de dizer:* Ceci est delicieux *("Isto está delicioso").*
> *Além disso, quando estiver em visita, freqüentemente as pessoas dirão:* Faites comme chez vous *("Fique à vontade"). Uma fórmula delicada para usar ao despedir-se é:* Je vous remercie de votre hospitalité *("Agradeço a sua hospitalidade").*

Nous avons un civet de lapin. Richard l'aimait tant
Nuzavõ zœ civé dë lapẽ. Richar lemé tã
Nós temos um guisado de coelho. Richard gostava muito disso

quand il était petit.
cãtil eté pêti.
quando ele era pequeno.

ELLE:
Él':
Ela:

Tiens, j'ai appris bien de choses sur toi
Tiẽ, jé apri biẽ d' chôz' sür tuá
Bem, eu aprendi muitas coisas a seu respeito

> **Les exceptions**
> *Geralmente os advérbios de quantidade são seguidos pela preposição* de *sem o artigo. Mas há três exceções:* bien *("muitos"),* encore *("mais ainda") e* la plupart *("a maio-*

ria"). Esses três advérbios conservam o artigo definido após a preposição de.

encore des choses à faire = *mais coisas ainda a fazer*

que je ne savais pas auparavant.
quê jê nê savé pazoparavã.
que eu não sabia anteriormente.

Mais dis donc, est-ce que je dois apprendre à faire du civet de lapin?
Mé di dõ, éss' quê jê duá aprēdr' a fér dũ civé dê lapē?
Mas diga, então, eu devo aprender a fazer guisado de coelho?

TESTE SEU FRANCÊS

Verta as frases seguintes para o francês, usando o imperfeito (*imparfait*) em cada caso. Conte 10 pontos para cada resposta correta. Veja as respostas abaixo.

1. Minha mãe dizia sempre...

2. A vida era muito difícil, então.

3. Nós tínhamos parentes na cidade.

4. Quando eu era jovem...

5. Eu costumava ler muitos livros.

6. Ela estava se olhando no espelho.

7. Ele estava dormindo tranqüilamente.

8. Nós nunca sabíamos onde ele estava.

9. Ele gostava de ir ao cinema.

10. Nós queríamos tanto ver essa peça.

Respostas: 1. Ma mère disait toujours... 2. La vie était alors très difficile. 3. Nous avions des parents en ville. 4. Quand j'étais jeune... 5. Je lisais beaucoup de livres. 6. Elle se regardait dans la glace. 7. Il dormait tranquillement. 8. Nous ne savions jamais où il était. 9. Il aimait aller au cinéma. 10. Nous voulions tellement voir cette pièce.

Resultado: _____ %

passo 23 — O MAIS-QUE-PERFEITO E O FUTURO "ANTERIOR"

L'imparfait de *avoir* ou de *être*
Lẽparfé dẽ avuar̲ u dẽ étr̲'
O imperfeito de avoir *ou de* être

se combine avec le participe passé
sẽ cõbín' avéc lẽ par̲ticip' passê
combina-se com o particípio passado

pour former le plus-que-parfait.
pur̲ for̲mê lẽ plû-quẽ-par̲fé.
para formar o mais-que-perfeito.

> *O mais-que-perfeito*
> *O mais-que-perfeito é muito simples de ser formado, já que apenas se combina o imperfeito de* avoir *ou* être *com o particípio passado do verbo principal. Reveja os Passos 19 e 20 para recordar os verbos que se combinam com* avoir *na formação dos tempos compostos. Abaixo, damos um exemplo para cada auxiliar:*
> j'avais vu = *eu tinha visto (eu vira)*
> j'étais arrivé = *eu tinha chegado (eu chegara)*

Celui-ci sert à indiquer une action passée,
Cẽlůici sér̲ a ẽdiquê ůnacsiõ passê,
Esse tempo é usado para expressar uma ação no passado,

avant une autre action passée.
avãtůnôtr̲' acsiõ passê.
realizada antes de outra ação passada.

Je m'étais déjà couché
Jě meté dejá cuchê
Eu já havia me deitado

quand Victor et Marie sont arrivés avec du champagne.
cã Victór e Mari sõtarivê avéc dů chãpánh'.
quando Victor e Marie chegaram com champanhe.

Quand je suis arrivé à la banque,
Cã jě sůizarivê a la bãc',
Quando cheguei ao banco,

je me suis aperçu
jě mě sůizaperçů
percebi

que j'avais perdu mon carnet de chèques.
quě javé perdů mõ carnê dě chéc'.
que havia perdido meu talão de cheques.

Nous avions juste fini de dîner,
Nuzaviõ jůst' fini dě dinê,
Nós tínhamos acabado de jantar,

mais nous étions encore à table,
mé nuzetiõ zẽcór a tabl',
mas estávamos ainda à mesa,

quand nous avons entendu un coup de revolver...
cã nuzavõ zẽtẽdů œ̃ cud' revolvér...
quando ouvimos um tiro de revólver...

Il paraît qu'un voleur avait cassé
Il paré cœ̃ volóer avé cassê
Parece que um ladrão havia quebrado

la vitrine d'un bijoutier,
la vitrin' dœ̃ bijutiê,
a vitrine de um joalheiro,

et qu'il était parti avec des bijoux;
e quil eté pa̱rti avéc de biju;
e que ele fugira com jóias;

mais des gens qui l'avaient vu
mé de jẽ qui lavé vů
mas algumas pessoas que o tinham visto

avaient appelé la police,
avétaplê la políss',
haviam chamado a polícia,

qui était arrivée très vite.
qui etétari̱vê tré vit'.
que tinha chegado muito depressa.

Comme nous sortions du restaurant,
Cóm' nu so̱rtiõ dů ̱restorā̱,
Quando estávamos saindo do restaurante,

on nous a dit qu'on l'avait emmené au commissariat de police.
õ nuzadi cõ lavé tẽmnê o comissari̱á de políss'.
disseram-nos que ele havia sido levado à delegacia de polícia.

Le coup de revolver
Este pequeno episódio ilustra a relação entre os diferentes tempos do passado: o imperfeito descreve o que está acontecendo no passado; o tiro acontece em um determinado momento e é, portanto, expresso pelo passé composé.

Socorro
Em casos de emergência, eis algumas expressões úteis:
  Socorro! = Au secours!
  Fogo! = Au feu!
  Cuidado! = Attention!
  Houve um acidente = Il y a eu un accident
  Depressa! = Vite!
  Chame uma ambulância = Appelez une ambulance

Pega ladrão! = Au voleur!
Lá vai ele! = Le voilà!
Polícia! = Police!
Pare! = Arrêtez!
Parem-no! = Arrêtez-le!
Parem-na! = Arrêtez-la!

Comme le plus-que-parfait indique
Cóm' lě plů-quě-par̲fé ē̲dic'
Como o mais-que-perfeito expressa

une action déjà terminée au passé,
ůnacsiõ dejá ter̲minê o passê,
uma ação já completada no passado,

le futur antérieur indique une action
lě fůtůr̲ āter̲ióer̲ ē̲dic' ůnacsiõ
o futuro "anterior" expressa uma ação

> *O futuro "anterior"*
> *Para formar o futuro "anterior", usa-se o particípio passado com o futuro dos verbos auxiliares* être *ou* avoir, *de acordo com a exigência do verbo. O futuro "anterior" corresponde ao conceito "terei ido", "terei visto", "terei ouvido", etc., em português.*

déjà terminée dans l'avenir.
dejá ter̲minê dã lavěnir̲.
já completada no futuro.

Croyez-vous qu'ils auront fini de dîner?
Cr̲uaiê vu quil zor̲õ fini de dinê?
Você acha que eles terão acabado de jantar?

La semaine prochaine j'aurai reçu
Lasmén' pr̲ochén' jor̲é r̲ě̲çů
Na próxima semana eu terei recebido

la réponse de mes parents à ma lettre.
la repõss' dĕ me parẽ a ma létr'.
a resposta de meus pais à minha carta.

Dites donc! Le mois prochain,
Dit' dõ! Lĕ muá prochẽ,
Imagine só! No próximo mês,

ils auront terminé l'autoroute.
il zorõ terminê lotorut'.
eles terão terminado a rodovia.

Le paragraphe suivant montre
Lĕ paragráf' sŭivã mõtr'
O próximo parágrafo mostra

comment on emploie ce temps pour exprimer
comẽ tõ nẽpluá cĕ tẽ pur ecsprimê
como empregamos esse tempo para expressar

ce qui aura eu lieu dans l'avenir.
cĕ qui orá ŭ liĕ dã lavĕnir.
o que terá acontecido no futuro.

— Qu'est-ce qu'on aura découvert dans cent ans?
Quéss' conorá decuvér dã cẽtã?
O que terá sido descoberto daqui a cem anos?

— Sans doute bien de gens auront fait
Sã dut' biẽ dĕ jẽ orõ fé
Sem dúvida muitas pessoas terão feito

> **Sans doute**
> *Atenção para o sentido de* sans doute *("sem dúvida"), que em francês significa forte probabilidade e não certeza. Assim, seria algo entre* probablement *("provavelmente") e* certainement *("com certeza", "certamente").*

des voyages interplanétaires.
de vuaiáj' zē̃te_rplanetér'.
viagens interplanetárias.

Nous aurons établi des bases sur les autres planètes.
Nuzo_rō zetabli de baz' sů_r lezot_r' planét.
Teremos estabelecido bases nos outros planetas.

Les savants auront découvert
Le savã o_rō decuvér
Os cientistas terão descoberto

des nouvelles sources d'alimentation.
de nuvél' su_rss' dalimētaciõ.
novas fontes de alimentação.

Les progrès de la médecine auront prolongé encore
Le p_rogré dě la medcin' o_rō p_rolõgê ēcór
Os progressos da medicina terão prolongado mais ainda

la durée moyenne de la vie
la dů_rê muaién' dě la vi
a duração média da vida

et les ordinateurs auront
e lezordinatóer o_rō
e os computadores terão

complètement changé l'enseignement.
cõpletmē̃ chãjê lē̃ssénhē̃mē̃.
transformado completamente o ensino.

— Qui sait? Peut-être aura-t-on trouvé
Qui sé? Pětétr' orátō t_ruvê
Quem sabe? Talvez tenhamos encontrado

aussi un moyen de réduire les impôts?
ossi œ̃ muaiē̃ dě _redů_ir' lezē̃pô?
também uma maneira de reduzir os impostos?

Modelo: verbo **reduire**

Réduire *("reduzir")* é um verbo irregular cujo particípio passado é réduit e cujo particípio presente é réduisant. *O presente do indicativo é:* je réduis, tu réduis, il réduit, nous réduisons, vous reduisez, ils (elles) réduisent. *Outros verbos que seguem este modelo são* produire *("produzir"),* introduire *("introduzir"),* séduire *("seduzir" ou "encantar"),* construire *("construir"),* reconstruire *("reconstruir")* e détruire *("destruir")*.

TESTE SEU FRANCÊS

Escreva as formas apropriadas do mais-que-perfeito ou do futuro "anterior" (auxiliar e particípio passado) dos verbos entre parênteses, nos espaços sublinhados. Conte 10 pontos para cada resposta correta. Veja as respostas a seguir.

1. Quand je suis arrivé ils _____ .
   (já tinham ido embora)

2. Mais on m'a téléphoné pour me dire qu'un agent de police l' _____
   (tinha
   _____ dans la rue.
   encontrado)

3. Je pensais que j' _____ mon portefeuille.
   (tinha perdido)

4. Il est allé la voir, mais on lui a dit qu'elle _____ .
   (havia ido embora)

5. Nous voulions faire sa connaissance parce que nous _____
   (tínhamos lido)
   son dernier livre.

6. Il ne savait pas que j' _____ en France.
   (tinha morado)

7. Dans quatre ans, ils _____ leurs diplômes.
   (terão recebido)

8. Bientôt, je pense, les astronautes _____ des bases
   (terão estabelecido)
   sur une autre planète.

9. Dès que vous _____ ce livre, rendez-le moi.
               (tiverem acabado)

10. Avant la semaine prochaine il _____ son chèque.
                        (terá mandado)

Respostas: 1. étaient déjà partis; 2. avait trouvé; 3. avais perdu; 4. était sorti; 5. avions lu; 6. avais vécu; 7. auront reçu; 8. auront établi; 9. aurez fini; 10. aura envoyé.

Resultado: _____ %

passo 24 CONDIÇÕES E SUPOSIÇÕES

Des phrases comme:
De fráz' cóm':
Frases como:

S'il pleut demain nous n'irons pas à la plage.
Sil plě děmẽ nu nirõ pá zala pláj'.
Se chover amanhã não iremos à praia.

S'il arrive, je lui donnerai votre message.
Sil arív', jě lůí dónré vótr' messáj'.
Se ele chegar, eu lhe darei seu recado.

sont des conditions simples.
sõ de cõdiciõ sẽpl'.
são condições simples.

Quelquefois la supposition est plus évidente, comme:
Quélquě fuá la sůposiciõ é plů zevidět', cóm':
Às vezes a suposição é mais evidente, como:

Si vous étiez à ma place, qu'est-ce que vous feriez?
Si vuzetiê zama pláss', quéss' quě vu fěriê?
Se você estivesse no meu lugar, o que você faria?

Si j'étais à votre place, je consulterais un avocat.
Si jeté zavótr' pláss', jě cõsůltěré œnavocá.
Se eu estivesse em seu lugar, consultaria um advogado.

Pour ce genre de supposition,
Pur cě jěr' dě sůposiciõ,
Para esse tipo de suposição,

il faut employer l'imparfait aprés *si*
il fô ēpluaiê lēparfé apré si
é preciso empregar o imperfeito após si

et mettre l'autre verbe au conditionnel.
e métr' lotr' verb' o cõdicionél.
e colocar o outro verbo no condicional.

> **Les suppositions imaginaires**
> *Quando dizemos "se você estivesse em meu lugar" ou "se você fosse eu", supomos uma condição impossível de ocorrer. Neste caso, usamos* si *com o imperfeito, na frase que expressa a hipótese, e na outra usamos o condicional.*

L'histoire suivante, qui pourrait se passer
Listuár sůivãt', qui puré sě passê
A estória seguinte, que poderia acontecer

entre Marseillais, fait appel au conditionnel.
ẽtr' marseii'é, fé tapél ô cõdicionél.
entre marselheses, utiliza o condicional.

> *A alusão a Marselha é uma referência às histórias imaginosas contadas sobre os conhecidos personagens anedóticos franceses Marius e Olive, típicos marselheses. Os franceses costumam dizer que os marselheses sempre exageram e fantasiam a realidade.*
> *O adjetivo que nomeia o habitante de uma cidade geralmente termina em* ais, ien, in *e* ois. *Essas terminações precisam ser aprendidas na prática, já que cada cidade tem sua própria forma.*

— Si vous étiez à la chasse en Afrique
Si vuzetiê zála cháss' ẽnafric'
Se você estivesse caçando na África

et que vous rencontriez un lion, que feriez-vous?
e quê vu rẽcõtriê œ̃ liõ, quê fěriê vu?
e você encontrasse um leão, o que você faria?

273

— Si je rencontrais un lion, je le tuerai avec mon fusil.
Si jě rěcõtré ő̄e liõ, jě lě tůěré avéc mõ fůzí.
Se eu encontrasse um leão, eu o mataria com meu rifle.

— Et si vous n'aviez pas de fusil?
E si vu naviê pád fůzí?
E se você não tivesse rifle?

— Si je n'avais pas de fusil, je me servirais de mon sabre.
Si jě navé pád fůzí, jě mě serviré dě mõ sabr'.
Se eu não tivesse rifle, eu usaria meu sabre.

— Et si vous n'aviez pas de sabre?
E si vu naviê pád sábr'?
E se você não tivesse sabre?

— Si je n'en avais pas, je grimperais sur un arbre.
Si jě nẽ navé pá, jě grẽpěré sůr ő̄e narbr'.
Se eu não tivesse um, eu subiria numa árvore.

— Et s'il n'y avait pas d'arbre tout près?
E sil ni avé pá darbr' tu pré?
E se não houvesse árvores por perto?

— S'il n'y avait pas d'arbre tout près,
Sil ni avé pa darbr' tu pré,
Se não houvesse árvores por perto,

je courrais le plus vite possible.
jě curé lě plů vit' possibl'.
eu correria tão rápido quanto possível.

— Hm... je crois que le lion vous rattraperait facilement.
Uhm... jě cruá quě lě liõ vu ratrapěré facilmẽ.
Hm... eu acho que o leão o alcançaria facilmente.

— Mais dites donc, vous! Êtes-vous de mon côté
Mé dit' dõ, vu! Ét' vu dě mõ cotê
Puxa, mas você, hein! Você está do meu lado

Dites donc

Literalmente dites donc *seria:* diga então. *Na realidade é uma expressão para mostrar surpresa e também uma pausa na conversação para chamar a atenção, como nesse caso. A repetição de* vous *dá uma nota de protesto.*

ou êtes-vous du côté du lion?
u ét' vu dû cotê dû liõ?
ou do lado do leão?

Il y a encore des suppositions
Iliá ẽcór de sûposiciõ
Há ainda suposições

qui se rapportent à des choses qui ne se sont jamais passées.
qui sê rapórt' a de chôz' qui nê sê sõ jamé passê.
que se referem a fatos que nunca aconteceram.

Si Napoléon avait conquis la Russie,
Si Napoleõ avé cõqui la Rûssi,
Se Napoleão tivesse conquistado a Rússia,

le cours de l'histoire aurait été très différent.
le cur dê listuar oré tetê tré diferẽ.
o curso da história teria sido muito diferente.

Si Lafayette n'avait pas aidé Washington,
Si Lafaiét' navé pazedê Uachingtõ,
Se Lafayette não tivesse ajudado Washington,

est-ce que les Américains
ess' quê le zameriquẽ
os americanos

auraient obtenu leur indépendance quand même?
oré tobtênû lœr ẽdepẽdãss' cã mém'?
ainda assim teriam obtido sua independência?

Condição impossível
Podemos chamar de condição impossível aquela que implicaria que fatos já comprovados tivessem acontecido de maneira diferente. Os exemplos acima mostram isso. Napoleão, para sua tristeza, nunca conquistou a Rússia, enquanto Lafayette, ajudado por Rochambeau (que raramente é lembrado), definitivamente possibilitou a conquista da independência. Nesses casos, utilizamos o mais-que-perfeito com o si, *e o condicional "passado" (o condicional de* être *ou* avoir *com o particípio passado do verbo principal), na outra frase. Os tempos compostos são, na verdade, bastante fáceis, já que o particípio passado já é conhecido, assim como as formas de* avoir *e* être *que se combinam com ele para expressar certos conceitos.*

CONVERSAÇÃO: O QUE VOCÊ FARIA SE GANHASSE NA LOTERIA?

— Que feriez-vous si vous gagniez
  Quê fèriê vu si vu ganhiê
  O que vocês fariam se ganhassem

  le gros lot à la Loterie Nationale?
  lê grô lô a la Lotri Nacionál'?
  o grande prêmio da Loteria Nacional?

  Tout d'abord, on déménagerait
  Tu dabór, õ demenajré
  Em primeiro lugar, nos mudaríamos

  dans une maison plus grande.
  dã zůn' mesõ plů grãd'.
  para uma casa maior.

  Cela ferait plaisir à ma femme.
  Cèla fèré plezir a ma fám'.
  Isso agradaria à minha mulher.

  Ensuite j'achèterais une nouvelle voiture.
  Ẽsůit jachetré ůn' nuvél vuatůr.
  Então, eu compraria um carro novo.

  Cela me ferait plaisir à moi.
  Cèla mê fèré plezir a muá.
  Isso agradaria a mim.

  Puis nous ferions un voyage dans le Midi,
  Půí nu fèriõzœ̃ vuaiáj' dãl' Midi,
  Depois, nós faríamos uma viagem ao Sul,

277

et nous rendrions visite à mes parents.
e nu r̲ĕdr̲iõ visit' a me par̲ĕ.
e nós iríamos visitar meus pais.

Je leur offrirais des machines modernes pour leurs vignobles,
Jĕ lœr̲ ofr̲iré de machin' modern' pur lœr̲ vinhóbl',
Eu lhes daria máquinas modernas para seus vinhedos,

et ainsi ils doubleraient leurs bénéfices
e ẽssi il dublĕ̲ré lœr̲ benefíss'
e assim eles duplicariam seus lucros

et ils n'auraient pas à travailler si dur.
e il nor̲é pá zatr̲avaii'ê si dů̲r.
e eles não precisariam trabalhar tão duramente.

— Et après ça, qu'est-ce que vous feriez?
E apr̲é ça, quéss' quĕ̲ vu fĕr̲iê?
E depois disso o que vocês fariam?

Continueriez-vous à travailler?
Cõtinů̲ĕr̲iê vu zatr̲avaii'ê?
Vocês continuaram a trabalhar?

> *Verbos seguidos por* à
> Continuer *é seguido por* à *quando usado em combinação com outro verbo (infinitivo). Outros verbos que seguem a mesma regra são:*
>   apprendre à = *aprender a*
>   consentir à = *consentir em*
>   commencer à = *começar a*
>   réussir à = *ter sucesso em*
>   hésiter à = *hesitar em*
>   aider à = *ajudar a*
>   inviter à = *convidar a (para)*
>   chercher à = *tentar*

— Bien sûr! Il faudrait travailler.
Biẽ sůr! Il fodr̲é tr̲avaii'ê.
É claro! Seria necessário trabalhar.

L'argent de la loterie ne durerait pas toujours.
Larjẽ dẻ la lotri nẻ důrẻré pá tujur.
O dinheiro da loteria não duraria para sempre.

— Mais ce serait agréable tant qu'il durerait, pas vrai?
Mé cẻ sẻré tagreabl' tã quil důrẻré, pá vré?
Mas seria agradável enquanto ele durasse, não é?

— D'accord. Sortons maintenant pour acheter un billet.
Dacór. Sortõ mẽtnã pur achtê œ̃ bii'ê.
Isso mesmo. Vamos sair agora para comprar um bilhete.

(La semaine suivante)
(La sẻmén' sůivãt')
(Na semana seguinte)

— Ah, je n'ai pas de veine! Je n'ai rien gagné du tout.
Ah, jẻ né pá d' vén'! Jẻ né riẽ ganhê dů tu.
Ah, não tenho sorte! Não ganhei nada mesmo.

— De toute façon, si vous aviez gagné,
Dẻ tut' façõ, si vu zaviê ganhê,
De qualquer forma, se você tivesse ganho,

vous auriez tout dépensé.
vuzoriê tu depẽssê.
você teria gasto tudo.

— Peut-être, mais du moins j'aurais eu le plaisir de l'avoir dépensé.
Pẻtétr', mé dů muã joré ů lẻ plezir dẻ lavuár depẽssê.
Talvez, mas pelo menos eu teria tido o prazer de tê-lo gasto.

> **Avoir +** *particípio passado*
> *Eis um exemplo de particípio passado combinado com* avoir. *Compare as diferentes estruturas.*
> *Estou feliz em fazê-lo.* = Je suis content de le faire.
> *Estou feliz por tê-lo feito.* = Je suis content de l'avoir fait.

TESTE SEU FRANCÊS

Verta para o francês as seguintes condições simples. Conte 10 pontos para cada resposta correta. Veja as respostas abaixo.

1. Se ele vier, eu lhe direi.

2. Se nevar, eu não irei.

3. Se você quiser, eu o farei.

4. Se eu estivesse no seu lugar, não o faria.

5. Se estivéssemos livres hoje, nós os acompanharíamos.

6. Se ele encontrasse um leão, ele correria tão rápido quanto possível.

7. O que ele faria se ele ganhasse?

8. Se vocês tivessem muito dinheiro, continuariam a trabalhar?

9. O que vocês fariam antes de mais nada?

10. Eu compraria um colar de pérolas para minha mulher.

Respostas: 1. S'il vient, je le lui dirai. 2. S'il neige, je n'irai pas. 3. Si vous voulez, je le ferai. 4. Si j'étais à votre place je ne le ferais pas. 5. Si nous étions libres aujourd'hui, nous vous accompagnerions. 6. S'il rencontrait un lion il courrait le plus vite possible. 7. Que ferait-il s'il gagnait? 8. Si vous aviez beaucoup d'argent, continueriez-vous à travailler? 9. Que feriez-vous tout d'abord? 10. J'achèterais un collier de perles pour ma femme.

Resultado: _____ %

passo 25 USO DO SUBJUNTIVO

On emploie le subjonctif après le mot *que*,
Õ nêpluá lë sûbjõctif apr̲é lë mô que,
Empregamos o subjuntivo após a palavra que,

> *O modo subjuntivo*
> *O subjuntivo não é um tempo, e sim um modo, que compreende vários tempos. Nos exemplos seguintes, dos principais grupos de verbos, você vai encontrar as desinências do subjuntivo para o presente.*
> *Primeiro grupo:* parler
>   que je parle
>   que tu parles
>   qu'il parle
>   que nous parlions
>   que vous parliez
>   qu'ils parlent
>
> *Segundo grupo:* finir
>   que je finisse
>   que tu finisses
>   qu'il finisse
>   que nous finissions
>   que vous finissiez
>   qu'ils finissent
>
> *Terceiro grupo:*

rendre	partir
que je rende	que je parte
que tu rendes	que tu partes
qu'il rende	qu'il parte
que nous rendions	que nous partions
que vous rendiez	que vous partiez
qu'ils rendent	qu'ils partent

recevoir
que je reçoive
que tu reçoives
qu'il reçoive
que nous recevions
que vous receviez
qu'ils reçoivent

quand on veut ou désire qu'une autre personne
cãtõ vě u desi̱r' cůnotr' persón'
quando se quer ou deseja que outra pessoa

fasse quelque chose.
fáss' quélquě chôz'.
faça alguma coisa.

Je voudrais que vous acceptiez mon invitation.
Jě vudr̲é quě vuzacseptiê monẽvitaciõ.
Eu gostaria que vocês aceitassem meu convite.

Il veut que nous revenions demain.
Il vě quě nu r̲ěvěniõ děmẽ.
Ele quer que voltemos amanhã.

> *O que*
> *A palavra-chave do subjuntivo é* que, *funcionando como um sinal para o uso desse modo verbal — mas, naturalmente, só quando for necessário. Usamos o subjuntivo após expressões de vontade, desejo, necessidade, sentimento, receio, dúvida, incerteza, e após certas conjunções.*

Notez le subjonctif dans des phrases exprimant des émotions
Notě lě sůbjõctif dã de fr̲áz' ecspr̲imã dezemociõ
Observe o subjuntivo em frases que expressam emoções

ou des sentiments, après le mot *que.*
u de sẽtimẽ, apr̲é lě mô quě.
ou sentimentos, após a palavra que.

Je suis content que vous soyez ici,
Jě sůí cõtẽ quẽ vu suaiê zici,
Estou contente que você esteja aqui,

mais je regrette que votre femme soit malade.
mé jě regrét' quẽ vótr' fám' suá malad'.
mas sinto muito que sua esposa esteja doente.

> *O modelo é a primeira pessoa*
> *O presente do subjuntivo dos verbos* être *e* avoir *é irregular:*
>
> | être | avoir |
> |---|---|
> | que je sois | que j'aie |
> | que tu sois | que tu aies |
> | qu'il soit | qu'il ait |
> | que nous soyons | que nous ayons |
> | que vous soyez | que vous ayez |
> | qu'ils soient | qu'ils aient |
>
> *Você deve memorizar a primeira pessoa do subjuntivo dos seguintes verbos irregulares, já que servem de modelo às outras.*
>
> aller = que j'aille
> savoir = que je sache
> venir = que je vienne
> dire = que je dise
> pouvoir = que je puisse
> vouloir = que je veuille
> faire = que je fasse

Oui, c'est dommage qu'elle n'ait pas pu venir,
Uí, cé domáj' quél né pá pů věnir,
Sim, é uma pena que ela não tenha podido vir,

> *O passado do subjuntivo*
> *Observe a diferença entre: "É uma pena que ela não possa vir"* (C'est dommage qu'elle ne puisse pas venir) *e "É uma pena que ela não tenha podido vir"* (C'est dommage qu'elle n'ait pas pu venir). *O segundo exemplo é o pas-*

> sado do subjuntivo, formado com o presente do subjun-
> tivo dos verbos avoir ou être, conforme a demanda do
> verbo, combinado ao particípio passado.

mais le médecin ne veut pas qu'elle sorte.
mé lĕ medsẽ nĕ vĕ pa quél só̱rt'.
mas o médico não quer que ela saia.

On emploie le subjonctif avec *il faut que*.
Õ nẽpluá̱ lĕ sûbjõctif avéc il fô quĕ̂.
Empregamos o subjuntivo com il faut que *(é preciso que).*

Il faut que je lui parle.
Il fô quĕ̂ jĕ lûí pa̱rl'.
É preciso que eu fale com ele.

Il faut que vous visitiez Fontainebleau.
Il fô quĕ̂ vu visitiê Fõténblô.
Vocês precisam visitar Fontainebleau.

Il faut que nous partions maintenant.
Il fô quĕ̂ nu pa̱rtiõ mẽtnã.
Precisamos ir embora agora.

Le subjonctif s'emploie avec d'autres expressions
Lĕ sûbjõctif sẽpluá̱ avéc doṯr' zecspre̱ssiõ
O subjuntivo é empregado com outras expressões

indiquant la nécessité et après certaines conjonctions.
ẽdicã la necĕ̱ssité e apré̱ cĕ̱rtén' cõjõcsiõ.
que indicam necessidade e depois de certas conjunções.

— Il vaudrait mieux qu'on nous réveille à sept heures,
Il voḏré miĕ quõ nu ̱revéii'e a sétóe̱r,
Seria melhor que nos acordassem às sete horas,

pour que nous ayons le temps de faire nos valises.
pu̱r quĕ̂ nu zeiõ lĕ tẽ dĕ fé̱r no valiz'.
para que tivéssemos tempo de fazer as malas.

Il est important que nous arrivions
Ilé tẽportã quẻ nu zariviõ
É importante que cheguemos

une heure en avance, car
ůnóer ẽ avãss', car
com uma hora de antecedência, porque

avant que nous puissions monter en avion,
avã quẻ nu půissiõ mõtê ẽnaviõ,
antes que possamos tomar o avião,

il faut qu'on fasse peser les bagages
il fô quõ fáss' pẻzê le bagáj'
devemos fazer pesar as bagagens

et il est nécessaire qu'on examine les billets et les passeports.
e ilé necẻssér quõ egzamin' le bii'ê e le pass'pór.
e é necessário examinar as passagens e os passaportes.

— Pourquoi se presser? Il y aura bien un autre avion.
Purquá sẻ pressê? Ili orá biẽ œnotr' aviõ.
Por que apressar-se? Com certeza haverá outro avião.

— Je ne crois pas que nous puissions
Jẻn' cruá pá quẻ nu půissiõ
Não creio que possamos

changer nos reservations.
chãjê no reservaciõ.
mudar nossas reservas.

D'ailleurs, autant que je sache,
Daii'œr, otã quẻ jẻ sach,
Aliás, tanto quanto eu saiba,

c'est le seul vol direct.
cé lẻ sẻl vól diréct.
é o único vôo direto.

CONVERSAÇÃO: CONFLITO DE GERAÇÕES

LE PÈRE:
Lẻ pér:
O PAI:

    Ça m'ennuie que Maurice n'ait pas
    Ça mẽnůí quẻ Moriss' né pá
    Aborrece-me que Maurice não tenha

    de meilleures notes en classe.
    de meii'ór nót' ẽ class'.
    melhores notas no colégio.

    J'ai peur qu'il ne puisse pas
    Jé poer quil nẻ pủíss' pá
    Tenho medo de que ele não possa

    réussir a ses examens.
    reůssir a sezegzamẽ.
    passar nos exames.

    Il ne faut pas qu'il sorte si souvent,
    Il nẻ fô pá quil sort' si suvẽ,
    Ele não deve sair tão freqüentemente,

    ni qu'il aille trop au cinéma.
    ni quil aii'e trô o cinemá.
    nem ir demais ao cinema.

LA MÈRE:
La mér:
A MÃE:

Mais il faut tout de même bien qu'il s'amuse, cet enfant.
Mézil fô tud' mém' biẽ quil samůz', cetẽfã.
Ainda assim é preciso que o garoto se divirta.

LE PÈRE:

Quoi qu'il en soit, je tiens à ce qu'il fasse de sérieux efforts,
Quá quil ẽ suá, jě tiẽ a cě quil fáss' dě seriě zefór,
Seja como for, faço questão de que ele se esforce seriamente,

> ***Expressões com subjuntivo***
> *"Contudo", "sempre que", "quem quer que" e outras construções similares também devem ser seguidas pelo subjuntivo.*
>   *O que quer que possa acontecer* = Quoi qu'il arrive

et qu'il obtienne des meilleures notes.
e quil obtién' de meii'óer nót'.
e de que ele obtenha melhores notas.

LA MÈRE:

Personnellement, je ne pense pas que
Personélmẽ, jě ně pěss' pá quě
Pessoalmente, eu não acho que

ses notes soient insuffisantes.
se nót' suá ẽ sufisãt'.
suas notas sejam insuficientes.

Pourvu qu'il travaille un peu plus
Purvů quil travaii'e œ̌ pě plů
Desde que ele estude um pouco mais

et qu'on le laisse tranquille, tout ira bien.
e quõ lě léss' trãquil', tutirá biẽ.
e que o deixemos tranqüilo, tudo dará certo.

LE PÈRE:

Eh bien non. Je n'admets pas qu'il ait d'aussi mauvaises notes,
E biẽ nõ. Jě nadmé pá quil é dossi movéz' nót',
Nada disso. Não admito que ele tenha notas tão ruins,

ni qu'il soit si paresseux.
ni quil suá si pa_ress_ě.
nem que seja tão preguiçoso.

Qu'il vienne me voir. J'ai à lui parler.
Quil vién' mě vuá_r_. Jé a lůí pa_rl_ê.
Mande-o vir falar comigo. Preciso falar com ele.

> *Quando o subjuntivo é usado sozinho, na terceira pessoa, tem o sentido de uma ordem ou desejo que devem ser transmitidos.*
> Qu'il parte. = *Ele que vá embora/Faça com que ele vá embora.*

LA MÈRE:

Maurice, ton père veut que tu ailles le voir tout de suite,
Mo_ri_ss', tõ pé_r_ vě quě tǔ aii'e lě vuar tud' sǔit'.
Maurice, seu pai quer que você vá falar com ele agora mesmo.

> *Não esqueça o tu*
> *Embora tenhamos apresentado as formas para tu nos diferentes tempos e radicais, esse tratamento não foi muito utilizado nos diálogos, porque a forma vous será muito mais útil para você, como estudante de francês. Para a linguagem mais íntima, ou familiar, como neste diálogo, devemos usar o tu.*

LA MÈRE:

Je crains qu'il ne soit en colère.
Jě c_rẽ_ quil ně suá ẽ colé_r_'.
Receio que ele esteja zangado.

MAURICE:

Oui, je sais ce qu'il va me dire.
Uí, jě séss' quil vám' di_r_'.
Sim, eu sei o que ele vai me dizer.

Il me dira ce qu'il veut que je fasse,
Il mě di̱rá cě quil vě quě jě fass',
Ele vai me dizer o que ele quer que eu faça,

ce qu'il faut que je fasse dans ma vie,
cě quil fô quě jě fass' dã ma vi,
o que eu devo fazer na vida,

la profession qu'il veut que je choisisse...
la p̱rofessiõ quil vě quě jě chuasiss'...
a profissão que ele quer que eu escolha...

Et comme moi, je veux être directeur de films
E có̱m' muá, jě vě zétṟ' di̱rectóeṟ de film'
E como eu quero ser diretor de cinema

je ne veux pas qu'on s'occupe de mes affaires
jěn' vě pá quõ socůp' de me zaféṟ'
não quero que interfiram na minha vida

et je ne veux pas qu'on m'embête.
e jě n' vě pá quõ měbét'.
e não quero que me aborreçam.

LA MÈRE:
Mais, Maurice, tu sais bien que ton père
Mé, Mo̱riss', tů sé biě̃ quě tõ péṟ
Mas, Maurice, você sabe muito bem que seu pai

veut faire pour le mieux pour ton frère et pour toi.
vě féṟ puṟ lě miě puṟ tõ fréṟ e puṟ tuá.
quer o melhor para seu irmão e para você.

Il veut que vous finissiez vos études,
Il vě quě vu finissiê vozetůd',
Ele quer que vocês acabem seus estudos,

que vous ayez des diplômes,
quě vu zeiě de diplóm',
que vocês tenham diplomas,

qu' Edouard devienne médecin comme son grand-père,
queduar děvién' medsẽ cóm' sõ grãpér,
que Edouard se torne médico como seu avô,

et que toi, tu sois avocat comme lui.
e quě tuá, tů suá zavocá cóm' lůí.
e que você seja advogado como ele.

MAURICE:
Et voilà! Entre ce qu'il veut que je fasse
E vualá! ětr' cě quil vě quě jě fass'
Olha só! Entre o que ele quer que eu faça

et ce que j'ai envie de faire,
e cě quě jé ẽvi dě fér,
e o que eu tenho vontade de fazer,

> *Orações relativas*
> *Recorde o uso de orações relativas:*
>   ce qui = *aquilo que, o que (sujeito)*
>   ce que = *aquilo que, o que (objeto direto)*
>   ce dont = *Aquilo de, aquilo de que, aquilo sobre o que*
>
>   *O que eu quero é...* = Ce que je veux c'est...
>   *Aquilo de que eu falei...* = Ce dont j'ai parlé
>   *O que é importante é...* = Ce qui est important c'est...

il y a un abîme.
iliá œ̃ nabim'.
há um abismo.

Qu'il cesse de m'embêter!
Quil céss' dě mẽbétê!
Ele que pare de me aborrecer!

LA MÈRE:
Ciel! Que la vie était différente
Ciél! Quě la vi eté diferẽt'
Meu Deus! Como a vida era diferente

quand j'étais jeune. On ne parlait jamais
cã jeté jěn'. Õ ně pa_r_lé jamé
quando eu era jovem. Nunca falávamos

comme ça à ses parents.
cóm' ça a se pa_r_ẽ.
assim com nossos pais.

> *Imperfeito*
> *Observe o uso do imperfeito, nos comentários da mãe, que está falando de como eram os fatos, os hábitos, no passado.*
>
> *Emoções e um atalho*
> *O diálogo que acabamos de ver inclui a maioria das construções, muitas relacionadas com emoções ou desejos, que exigem o uso do subjuntivo. Embora o conhecimento do subjuntivo seja essencial para um domínio completo do francês, freqüentemente é possível contornar uma eventual dificuldade, principalmente no caso de il faut. Pode-se usar o infinitivo, eliminando-se o que:*
>   Il faut partir *por* il faut que je parte.
> *É preciso partir.*
> *No caso do infinitivo, usamos a mesma forma para todas as pessoas. Além disso, embora exista uma forma para o imperfeito do subjuntivo, raramente ela é usada na conversação, sendo substituída pelo presente.*
>   *Ele queria que eu viesse.* = Il voulait que je vienne.

TESTE SEU FRANCÊS

I — Preencha as lacunas com a forma adequada do subjuntivo dos verbos entre parênteses. Conte 10 pontos para cada resposta correta. Veja as respostas a seguir.

1. Il faut que nous (partir) _____.

2. Elle est content que vous (être) _____ ici.

3. Avant que vous ne (quitter) _____ la France, il faut voir Versailles.

4. Il est important qu'il le (savoir) _____ .

5. Je veux qu'il (venir) _____ me voir.

II — Leia o diálogo sobre Maurice e responda às seguintes perguntas com *Verdadeiro* ou *Falso*. Conte 10 pontos para cada resposta correta. Veja as respostas abaixo.

	Vrai (verdadeiro)	*Faux* (falso)
6. Le père de Maurice veut que son fils devienne architecte.	( )	( )
7. Maurice a déjà obtenu son diplôme.	( )	( )
8. Le père et le fils sont d'accord sur la carrière de Maurice.	( )	( )
9. Maurice a bien travaillé cette année.	( )	( )

	Vrai (verdadeiro)	*Faux* (falso)
10. Son père veut qu'il obtienne de meilleures notes.	( )	( )

Respostas: 1. partions; 2. soyez; 3. quittiez; 4. sache; 5. vienne; 6. F; 7. F; 8. F; 9. F; 10. V.

Resultado: _____ %

passo 26 COMO LER O FRANCÊS

Voilà quelques conseils pour faciliter
Eis alguns conselhos para facilitar

vos lectures en français.
suas leituras em francês.

Dans la correspondance commerciale
Na correspondência comercial

vous trouverez souvent
você vai encontrar com freqüência

qu'on emploie le conditionnel et le subjonctif.
o uso do condicional e do subjuntivo.

Par exemple:
Por exemplo:

   Cher Monsieur:
   Prezado Senhor:

     Nous voudrions que vous nous fassiez parvenir
     Gostaríamos que nos mandasse

   le plus tôt possible la marchandise
   o mais cedo possível a mercadoria

   que nous avons commandée.
   que encomendamos.

   Il faudrait que nous la recevions
   Seria necessário que a recebêssemos

avant la fin de novembre.
antes do final de novembro.

  Si vous étiez dans l'impossibilité d'expédier
  Caso estejam impossibilitados de enviar

cette marchandise, nous vous serions reconnaissants
esta mercadoria, seríamos gratos

de nous le faire savoir par retour du courrier,
se pudessem comunicá-lo por resposta postal,

car nous devrions alors nous adresser
porque deveríamos então dirigir-nos

sans délai à un autre fournisseur.
sem demora a um outro fornecedor.

  Veuillez agréer, cher Monsieur, l'assurance
  Queira receber, prezado senhor, a expressão

de notre parfaite considération.
de nossa total consideração.

> ***Finais de cartas***
> *Os cumprimentos no final de uma carta comercial, em francês, tendem a ser bastante longos. Talvez seja o eco de uma época mais polida; nas cartas pessoais, pode-se terminar com "cordialmente" ou "sinceramente", dizendo-se* meilleures amitiés, bien cordialement, *ou* bien à vous.

Quand vous lirez les journaux, vous vous apercevrez
Quando você ler jornais, você perceberá

qu'on emploie surtout le présent et le passé.
que o presente e o passado são os tempos mais usados.

  "Le président de la République a fait un discours hier à Rennes
  "O presidente da República fez um discurso ontem em Rennes

qui a été fort applaudi. Il a terminé par ces mots:
que foi muito aplaudido. Ele terminou com estas palavras:

Mes chers concitoyens,
Meus caros concidadãos,

je suis sûr que nous sommes d'accord
estou certo de que concordamos

pour nous féliciter des progrès qui ont été accomplis."
em nos felicitar pelos progressos que foram realizados."

En lisant des livres, toutefois,
Lendo livros, contudo,

on découvre un autre temps des verbes: le passé simple.
descobrimos um outro tempo de verbos: o "passé simple".

Ce temps est employé presque uniquement
Esse tempo é utilizado quase somente

dans la littérature.
em literatura.

> *Um tempo literário — o* passé simple
> *Você deve aprender a reconhecer o* passé défini *ou* passé simple, *como é freqüentemente chamado, porque vai precisar dele ao ler livros franceses. Eis as desinências para as três conjugações:*
>
> | donner | finir |
> |---|---|
> | je donnai | je finis |
> | tu donnas | tu finis |
> | il donna | il finit |
> | nous donnâmes | nous finîmes |
> | vous donnâtes | vous finîtes |
> | ils donnèrent | ils finirent |
>
> | rendre | recevoir |
> |---|---|
> | je rendis | je reçus |

tu rendis
il rendit
nous rendîmes
vous rendîtes
ils rendirent

tu reçus
il reçut
nous reçûmes
vous reçûtes
ils reçurent

Eis as formas para o passé simple *de* être *e* avoir.

être
je fus
tu fus
il fut
nous fûmes
vous fûtes
ils furent

avoir
j'eus
tu eus
il eut
nous eûmes
vous eûtes
ils eurent

As primeiras formas de alguns dos mais importantes verbos irregulares são:
terminados em is
faire — je fis
dire — je dis
prendre — je pris

terminados em us
vouloir — je voulus
pouvoir — je pus
savoir — je sus
devoir — je dus
taire — je tus

Voilà un exemple
Eis um exemplo

du passé simple employé avec d'autres temps.
do passé simple *empregado com outros tempos.*

Pendant le règne de Louis XIV
Durante o reinado de Luís XIV

l'embassadeur d'un petit état allemand
o embaixador de um pequeno estado alemão

allait être présenté à la cour de France.
ia ser apresentado à corte francesa.

Comme il ne parlait pas bien le français
Como ele não falava bem o francês

on lui donna un interprète.
deram-lhe um intérprete.

Alors, quand il fut présenté à Sa Majesté Louis XIV,
Então, quando ele foi apresentado a Sua Majestade Luís XIV,

l'ambassadeur parla d'abord en allemand,
o embaixador falou antes em alemão,

puis il se tut et laissa la parole à l'interprète.
depois se calou e deixou a palavra ao intérprete.

Celui-ci fit un noble discours
Este fez um nobre discurso

plein d'allusions à la grandeur du Roi Soleil.
cheio de alusões à grandeza do Rei Sol.

Quand il cessa de parler,
Quando ele parou de falar,

l'embassadeur le prit à part et lui dit:
o embaixador chamou-o de lado e lhe disse:

"J'ai compris votre traduction
"Eu entendi sua tradução

mais ce n'était pas du tout ce que j'avais dit."
mas não era absolutamente o que eu havia dito."

"Non, Monseigneur", répondit l'interprète,
"Não, meu senhor", respondeu o intérprete,

"ce n'est pas ce que vous avez dit
"não é o que o senhor disse

mais c'est bien ce que vous auriez dû dire."
mas é certamente o que o senhor deveria ter dito."

N'hesitez pas à lire les grandes oeuvres littéraires françaises,
Não hesite em ler as grandes obras literárias francesas,

non seulement pour améliorer votre français,
não apenas para melhorar seu francês,

mais pour le plaisir et l'amusement que vous y trouverez.
mas pelo prazer e pela diversão que você encontrará nelas.

Notez comment la scène suivante,
Observe como a cena que se segue,

choisie du grand maître Molière,
selecionada do grande mestre Molière,

est facile à comprendre.
é fácil de compreender.

LE MAÎTRE DE PHILOSOPHIE:
O PROFESSOR DE FILOSOFIA:
    Sont-ce des vers que vous lui voulez écrire?
    São versos que você quer escrever para ela?

MONSIEUR JOURDAIN:
    Non, non point de vers.
    Não, nada de versos.

LE MAÎTRE:
    Vous ne voulez que de la prose?
    Você só quer prosa?

M. JOURDAIN:
   Non, je ne veux ni prose, ni vers.
   Não, não quero nem prosa, nem versos.

LE MAÎTRE:
   Il faut bien que ce soit l'un ou l'autre.
   É preciso que seja um ou outro.

M. JOURDAIN:
   Pourquoi?
   Por quê?

LE MAÎTRE:
   Par la raison, monsieur, qu'il n'y a
   Pela razão, senhor, de que há somente,

   pour s'exprimer que la prose ou les vers.
   para expressar-se, a prosa ou os versos.

M. JOURDAIN:
   Il n'y a que la prose ou les vers?
   Há somente a prosa ou os versos?

LE MAÎTRE:
   Non, monsieur. Tout ce qui n'est point
   Sim, senhor. Tudo o que não é

   prose est vers, et tout ce qui n'est point
   prosa é verso, e tudo o que não é

   vers est prose.
   verso é prosa.

M. JOURDAIN:
   Et comme l'on parle qu'est-ce que c'est donc que cela?
   E como se fala o que é então?

LE MAÎTRE:
   De la prose.
   Prosa.

M. JOURDAIN:
Quoi! Quand je dis: Nicole, apportez-moi
O quê! Quando eu digo: Nicole, traga-me

mes pantoufles, et me donnez mon bonnet de nuit,
meus chinelos e dê-me a touca de dormir,

c'est de la prose?
é prosa?

LE MAÎTRE:
Oui, monsieur.
Sim, senhor.

M. JOURDAIN:
Par ma foi, il y a plus de quarante ans
Por minha fé, há mais de quarenta anos

que je dis de la prose, sans
que eu digo prosa, sem

que j'en susse rien; et je vous suis
que eu saiba nada disso; e eu lhe sou

> *Apesar de o texto selecionado ter sido escrito por Molière há centenas de anos, observe que a única palavra que apresenta alguma dificuldade para você, como estudante de francês, é o imperfeito do subjuntivo de* savoir — je susse —, *que aliás já não se usa na conversação.*
> *Para ajudá-lo a reconhecer essa construção, em literatura, lembre-se de que ela segue a mesma base do* passé simple, *resultando nas formas seguintes, para os verbos* parler, rendre, finir *e* recevoir: que je parlasse, que je rendisse, que je finisse, que je reçusse.
> *Continua-se a conjugação com as desinências regulares, com exceção da terceira pessoa do singular, que termina em* ât, êt *ou* ût.

le plus obligé du monde
imensamente agradecido

de m'avoir appris cela.
por ter-me ensinado isso.

Tout ce que vous lisez en français,
Tudo o que você lê em francês,

que ce soit des pièces, des romans,
sejam peças, romances,

des livres d'histoire ou d'art,
livros de história ou de arte,

augmentera votre connaissance du français
aumentará seu conhecimento do francês

et sera une inépuisable source de distraction.
e será uma fonte inesgotável de distração.

Pourtant, le plus important c'est de parler
No entanto, o mais importante é falar

et d'entendre parler les autres, parce que,
e ouvir os outros falarem, porque,

pour bien apprendre une langue,
para aprender bem uma língua,

il faut la pratiquer à toute occasion.
é preciso praticá-la em todas as oportunidades.

VOCÊ SABE MAIS FRANCÊS DO QUE IMAGINA

Agora você está familiarizado com os elementos essenciais para se falar francês. Sem dúvida, ao ler livros, revistas e jornais em francês, você encontrará muitas palavras que não estão incluídas neste livro. Certamente, no entanto, terá muito mais facilidade para compreendê-las, pois o idioma de que fazem parte já não lhe é estranho.

Ao ler um texto em francês ou ao ouvir o francês no cinema, na televisão ou em conversas, é evidente que você não poderá consultar o dicionário a cada palavra nova que aparecer, e nem é conveniente que o faça, pois senão será impossível apreender o sentido geral do que está sendo lido ou ouvido. Portanto, faça antes um esforço no sentido da compreensão global, tentando fazer com que o significado das palavras se torne evidente através do contexto. Depois — e isso se aplica basicamente ao caso da leitura — é importante que você volte ao texto, consultando o dicionário para verificar a pronúncia e o sentido das palavras que não conhecia.

No entanto, não se esqueça de que as palavras não devem ser traduzidas isoladamente. É importante você utilizá-las sempre em frases e expressões. Leia textos em francês, em voz alta, sempre que possível. Sugerimos que você grave sua leitura e vá comparando os resultados ao longo do tempo.

Levando a sério estes procedimentos, você conseguirá formar frases com desembaraço cada vez maior e ficará surpreendido com o desenvolvimento de sua capacidade para se comunicar em francês.

VOCABULÁRIO PORTUGUÊS-FRANCÊS

Este vocabulário irá completar sua habilidade para o uso do francês corrente. Inúmeras palavras que você encontrará nele não foram utilizadas ao longo do livro. É interessante notar que, na conversação diária em qualquer idioma, a maioria das pessoas usa menos do que 2.000 palavras. Neste vocabulário você encontrará mais de 2.600 palavras, selecionadas de acordo com a freqüência de sua utilização.

Observações:
1. O gênero masculino ou feminino dos substantivos e adjetivos no francês será indicado, após a palavra, por (*m*) ou (*f*). Os adjetivos aparecerão por extenso na forma do masculino singular, e a forma do feminino estará indicada em seguida. O mesmo ocorrerá para os substantivos que têm os dois gêneros, ou seja, geralmente os que se referem a seres vivos. O fato de não haver indicação de gênero significa que a forma é a mesma para o masculino e o feminino.

2. Só aparecerão os advérbios mais importantes. Lembre-se de que a maioria dos advérbios é formada pelo acréscimo de *-ment* à forma do feminino do adjetivo.

Exemplo: adjetivo: **feliz** heureux *(m)*, heureuse *(f)*
 advérbio: **felizmente** heureusement

3. Quando duas palavras ou expressões tiverem sentido semelhante e forem usadas com a mesma freqüência, ambas aparecerão, separadas por ponto-e-vírgula.

A

a (*prep.*) à
a, as (*artigo*) la, les
a, as (*pron. obj. dir.*) la, les
a fim de afin de
a maioria la plupart
a não ser que à moins que
a propósito à propos
abaixo au dessous, en dessous
abelha abeille (*f*)
aberto ouvert (*m*), -e (*f*)
aborrecido ennuyeux (*m*), ennuyeuse (*f*)
abridor de latas ouvre-boîte (*m*)
abril avril (*m*)
abrir ouvrir
absolutamente absolument
acabado fini (*m*), -e (*f*)
aceitar accepter
acender, ligar (*luz*) allumer
acidente accident (*m*)
acima au-dessus de
aço acier (*m*)
acontecer arriver, se passer
açougue boucherie (*f*)
açougueiro boucher (*m*), bouchère (*f*)
acreditar croire
acrescentar ajouter
açúcar sucre
adega cave (*f*)
adeus, até logo adieu, au revoir
adiante en avant
adjetivo adjectif (*m*)
admirar admirer
adormecido endormi (*m*), -e (*f*)
advérbio adverbe (*m*)
advogado avocat (*m*), -e (*f*)
aeromoça hôtesse de l'air (*f*)
aeroporto aéroport (*m*)
afogar-se se noyer
África Afrique (*f*)
agência agence (*f*)
agente agent (*m*), -e (*f*)
agora maintenant
agora mesmo à l'instant même
agosto août (*m*)
agradável agréable
água eau (*f*)
ainda, de novo encore
ajudar aider
Alemanha Allemagne (*f*)
alemão Allemand (*m*), -e (*f*)
alfabeto alphabet (*m*)
alface laitue (*f*)
alfaiate tailleur (*m*), tailleuse (*f*)
alfândega douane (*f*)
alfinete épingle (*f*)
algo quelque chose
algodão (*tecido de*) coton (*m*)
alguém quelqu'un (*m*)
algum quelque
alguns quelques

alho ail (*m*)
aliás, além disso d'ailleurs
alma âme (*f*)
almoço déjeuner (*m*)
Alô! Allô!
alto (*para som*) fort (*m*), -e (*f*)
alto haut (m), -e (*f*)
alto (*para pessoa*) grand (*m*), -e (*f*)
altura taille (*f*)
alugar louer
amanhã demain
amar aimer
amarelo jaune
amarrar attacher
ambos tous les deux (*m*), toutes les deux (*f*)
ambulância ambulance (*f*)
América Amérique (*f*)
América do Sul Amérique du Sud (*f*)
americano Américain (*m*), -e (*f*)
amigo ami (*m*), -e (*f*)
amplo, largo large
andar marcher
anel bague (*f*)
anfitrião hôte (*m*), -sse (*f*)
animal animal (*m*)
aniversário anniversaire (*m*)
anjo ange (*m*)
ano an (*m*); année (*f*)
ano-novo Nouvelle Année (*f*); Nouvel An (*m*)
anterior antérieur (*m*), -e (*f*)
antes avant
anúncio annonce (*f*)
em vez de au lieu de
apagar, desligar (*luz*) éteindre
apanhar, colher ramasser

apartamento appartement (*m*)
apertado serré (*m*), -e (*f*)
apetite appétit (*m*)
aposentadoria retraite (*f*)
aposta pari (*m*)
apreciar apprécier
aprender apprendre
apresentar présenter
apressar-se se dépêcher
aproximadamente environ
aquarela aquerelle (*f*)
aqui ici
ar air (*m*)
árabe, arábico Arabe
arma arme (*f*)
armário embutido placard (*m*)
armazém magasin (*m*)
arquiteto architecte
arquitetura architecture (*f*)
arredores alentours (*m. pl.*)
arrepender-se regretter
arroz riz (*m*)
arte art (*m*)
artelho orteil (*m*)
artigo article (*m*)
artista artiste
árvore arbre (*m*)
às vezes quelquefois
Ásia Asie (*f*)
aspargo asperge (*f*)
aspirina aspirine (*f*)
asseio toilette (*f*)
assinar signer
assinatura signature (*f*)
assinatura (*de jornal, revista*) abonnement (*m*)
assoalho plancher (*m*)
assunto sujet (*m*)
até jusqu'à

até, mesmo même
atenção attention (*f*)
atingir atteindre
atirar (*dar um tiro*) tirer
Atlântico Atlantique (*m*)
atômico atomique
ator acteur (*m*), actrice (*f*)
atrás derrière
atraso retard (*m*)
através à travers
atravessar traverser
aumentar augmenter
ausente absent (*m*), -e (*f*)
Austrália Australie (*f*)
australiano Australien (*m*), -ne (*f*)
Áustria Autriche (*f*)
austríaco Autrichien (*m*), -ne (*f*)
automático automatique
automóvel auto (*f*); voiture (*f*)
autoridade autorité (*f*)
avenida avenue (*f*)
aventura aventure (*f*)
avião avion (*m*)
avô grand-père (*m*), grand-mère (*f*)
azedo aigre
azeitona olive (*f*)
azul bleu (*m*), -e (*f*)

B

bacon bacon (*m*)
bagagem bagage (*m*)
bairro quartier (*m*)
baixo bas (*m*), -se (*f*)
bala (*de revólver*) balle (*f*)
banana banane (*f*)
banco (*instituição financeira*) banque (*f*)
bandagem bandage (*m*)
bandeira drapeau (*m*)
banheiro salle de bains (*f*)
banho bain (*m*)
banqueiro banquier (*m*), banquière (*f*)
bar bar (*m*)
barato bon marché
barba barbe (*f*)
barbante corde (*f*)
barbeador rasoir (*m*)
barbeiro coiffeur (*m*)
barco, navio bateau (*m*)
barulho, ruído bruit (*m*)
batalha bataille (*f*)
batata pomme de terre (*f*)
bater frapper
bateria batterie (*f*)
bebê bébé (*m*)
beber boire
beijar embrasser
beleza beauté (*f*)
belga Belge
Bélgica Belgique (*f*)
belo beau (*m*), belle (*f*)
bem bien
bem-vindo, -a bienvenu (*m*), -e (*f*)
bezerro, vitela veau (*m*)
bicicleta bicyclette (*f*)
bife steak (*m*), entrecôte (*f*)
bigode moustache (*f*)
bilhete, entrada billet (*m*)
boca bouche (*f*)
boi boeuf (*m*)
bolo gâteau (*m*)
bolsa sac (*m*)
bolsa (*de valores*) bourse (*f*)

bolso poche (*f*)
bom bon (*m*), -ne (*f*)
bomba bombe (*f*)
bombeiro pompier
boné casquette (*f*)
boneca poupée (*f*)
bonito beau (*m*), belle (*f*); joli (*m*), -e (*f*)
bordado broderie (*f*)
bosque bois (*m*)
botão bouton (*m*)
braço bras (*m*)
branco blanc (*m*), blanche (*f*)
bravo, corajoso brave
breque frein (*m*)
breve bref (*m*), brève (*f*)
brilhante brillant (*m*), -e (*f*)
brilhar briller
brincar jouer
brinquedo jouet (*m*)
buraco trou (*m*)

C

cabeça tête (*f*)
cabeleireiro coiffeur (*m*), coiffeuse (*f*)
cabelo cheveu (*m*)
cabine cabine (*f*)
cabra chèvre (*f*)
cachimbo pipe (*f*)
cachorro chien (*m*), -ne (*f*)
cada chaque
cadeia prison (*f*)
cadeira chaise (*f*)
café café (*m*)
café da manhã petit déjeuner (*m*)
cair tomber

cais quai (*m*)
caixa boîte (*f*)
caixa de correio boîte aux lettres (*f*)
caixeiro caissier (*m*), caissière (*f*)
calçado chaussure (*f*)
calças pantalon (*m*)
calendário calendrier (*m*)
calmo calme
calor chaleur (*f*)
cama lit (*m*)
camarão crevette (*f*)
caminhão camion (*m*)
caminho chemin (*m*)
camisa chemise (*f*)
camisola chemise de nuit (*f*)
campainha sonnette (*f*)
campo campagne (*f*); champ (*m*)
camundongo souris (*f*)
canção chanson (*f*)
cancela, barreira barrière (*f*)
caneta stylo (*m*)
cansado fatigué (*m*), -e (*f*)
cantar chanter
canto coin (*m*)
cantor chanteur (*m*), chanteuse (*f*)
capa cape (*f*)
capa de chuva imperméable (*m*)
capitão capitaine (*m*)
caracol escargot (*m*)
caranguejo crabe (*m*)
caráter caractère (*m*)
carburador carburateur (*m*)
cardápio carte (*f*); menu (*m*)
carne viande (*f*)
carne de porco porc (*m*)
carne de vaca boeuf (*m*)
caro cher (*m*), chère (*f*)

carta lettre (*f*)
cartão carte (*f*)
cartão-postal carte postale (*f*)
carteira de motorista permis de conduire (*m*)
carteira (*porta-notas*) portefeuille (*m*)
carteiro facteur (*m*)
casa maison (*f*)
casaco manteau (*m*)
casado marié (*m*), -e (*f*)
casamento mariage (*m*)
castanho brun (*m*), -e (*f*)
castelo château (*m*)
catálogo catalogue (*m*)
catedral cathédrale (*f*)
católico catholique
cauda queue (*f*)
cavalgar monter à cheval
cavalheiro, senhor monsieur (*m*)
cavalo cheval (*m*)
cebola oignon (*m*)
cedo de bonne heure
cem cent
cemitério cimetière (*m*)
cenoura carotte (*f*)
centavo centime (*m*)
central central (*m*), -e (*f*)
centro centre (*m*)
cérebro cerveau (*m*)
cereja cerise (*f*)
certamente certainement
certificar certifier
certo, seguro sûr (*m*), -e (*f*)
cerveja bière (*f*)
cessar cesser
cesto panier (*m*)
céu ciel (*m*)
chá thé (*m*)
chamar appeler
chaminé cheminée (*f*)
chapéu chapeau (*m*)
chave clé (*f*); clef (*f*)
chegar arriver
cheirar sentir
cheque chèque (*m*)
China Chine (*f*)
chinelo pantoufle (*f*)
chinês Chinois (*m*), -e (*f*)
chocolate chocolat (*m*)
chorar pleurer
chuva pluie (*f*)
chuveiro, ducha douche (*f*)
cidade ville (*f*)
ciência science (*f*)
cientista savant (*m*), -e (*f*)
cigarro cigarette (*f*)
cimento ciment (*m*)
cinco cinq
cinqüenta cinquante
cinto ceinture (*f*)
cinza gris (*m*), -e (*f*)
cinzeiro cendrier
ciumento jaloux (*m*), jalouse (*f*)
claro bien entendu
claro clair (*m*), -e (*f*)
classe classe (*f*)
clima climat (*m*)
clube club (*m*)
cobra, serpente couleuvre (*f*); serpent (*m*)
cobrir couvrir
coelho lapin (*m*)
cogumelo champignon (*m*)
coisa chose (*f*)
cola colle (*f*)
colar, coleira collier (*m*)
colcha dessus de lit (*m*)

colecionar rassembler; collectionner
colher cuiller (f); cuillère (f)
colina colline (f)
colocar, pôr mettre
com avec
combinação combinaison (f)
começar commencer
comer manger
comida, alimento nourriture (f)
comissão comission (f)
como comme; comment
cômodo, conveniente commode
cômodo, aposento pièce (f)
companhia compagnie (f)
completamente, totalmente tout à fait
completo complet (m), complète (f)
compor composer
compositor compositeur (m), compositrice (f)
comprar acheter
compreender, entender comprendre
computador ordinateur (m)
comunista communiste
concerto concert (m)
condição condition (f)
confortável confortable
conhaque cognac (m)
conhecer connaître
conhecer, saber savoir
conselho conseil (m)
consertar réparer
construir construire
conta compte (m)
contar (*verificar quantidade*) compter
contar (*narrar*) raconter, dire
contente content (m), -e (f)
continuar continuer
contra contre
controlar contrôler
contudo pourtant
convencer convaincre
conversação conversation (f)
conversar, tagarelar bavarder
convés pont (m)
convidado invité (m), -e (f)
convidar inviter
convite invitation (f)
cópia copie (f)
cor couleur (f)
coração coeur (m)
corda corde (f)
cordeiro agneau (m), agnelle (f)
coronel colonel (m)
corpo corps (m)
corporação corporation (f)
correio bureau de poste (m)
correr courir
correspondência correspondance (f)
correspondência courrier (m)
correto exact (m), -e (f)
corrida course (f)
cortar couper
corte de cabelos coupe de cheveux (f)
costa côte (f)
costas dos (m)
costeleta côtelette (f)
cotovelo coude (m)
couro cuir (m)
cozinha cuisine (f)
cozinhar faire la cuisine; cuire
cozinheiro cuisinier (m), cuisinière (f)

crédito crédit (*m*)
creme crème (*f*)
crescer grandir
criança enfant (*m*)
crime crime (*m*)
criminoso criminel (*m*), criminelle (*f*)
crise crise (*f*)
criticar critiquer
cruzamento (*de ruas*) carrefour (*m*)
Cuidado! Attention!
cujo dont
culpado coupable
cunhado beau-frère (*m*), belle-soeur (*f*)
curar guérir
curto court (*m*), -e (*f*)
custar coûter

D

dançar danser
dançarino danseur (*m*), danseuse (*f*)
dar donner
data date (*f*)
de acordo entendu; d'accord
de preferência plutôt
de qualquer modo de toute façon
decepcionado deçu (*m*), -e (*f*)
decidir décider
dedo doigt (*m*)
deitar, deitar-se coucher, se coucher
delegacia commissariat de police
deles leur (*sing.*), leurs (*pl.*)
delicioso délicieux (*m*), délicieuse (*f*); exquis (*m*), -e (*f*)

demais trop
dente dent (*f*)
dentifrício dentifrice (*m*)
dentista dentiste (*m*)
dentro à l'intérieur; dedans
dentro dans
depois après
descansar se reposer
descer descendre
descobrir découvrir
desconhecido inconnu (*m*), -e (*f*)
desculpe excusez-moi
desde (*para tempo*) depuis
desejar désirer
desenho dessin (*m*)
deserto désert (*m*), -e (*f*)
desmaiar s'évanouir
desonesto malhonnête
despesas dépenses (*f*)
destino destin (*m*)
destruir détruire
desvio détour (*m*)
detalhe détail (*m*)
detestar détester
Deus Dieu (*m*)
dever devoir
dez dix
dezembro décembre
dezenove dix-neuf
dezesseis seize
dezessete dix-sept
dezoito dix-huit
dia jour (*m*)
diabo diable (*m*), diablesse (*f*)
diálogo dialogue (*m*)
diamante, brilhante diamant (*m*)
diariamente tous les jours

diário, cotidiano quotidien (*m*), -ne (*f*)
dicionário dictionnaire (*m*)
diferente différent (*m*), -e (*f*)
difícil difficile
dificuldade difficulté (*f*)
dinheiro argent (*m*)
direção direction (*f*)
direito (*de leis*) droit (*m*)
direto, reto droit (*m*), -e (*f*)
diretor directeur (*m*), directrice (*f*)
dirigir conduire
discreto discret (*m*), discrète (*f*)
discutir discuter
disponível disponible
diverso divers (*m*), -e (*f*)
divertido amusant (*m*), -e (*f*)
dívida dette (*f*)
dividir diviser
divorciado divorcé (*m*), -e (*f*)
dizer dire
do que que
doce doux (*m*), douce (*f*)
doce, bombom bonbon (*m*)
doença maladie (*f*)
doente malade
dois deux
dólar dollar (*m*)
doloroso douloureux (*m*), douloureuse (*f*)
domingo dimanche
dor douleur (*f*); mal (*m*)
dor, tristeza chagrin (*m*)
dor de cabeça mal de tête (*m*)
dormir dormir
doutor docteur (*m*), doctoresse (*f*)
doze douze

durante pendant
durar durer
duro dur (*m*), -e (*f*)
dúzia douzaine (*f*)

E

e et
econômico économique
editor éditeur (*m*)
educado, polido poli (*m*), -e (*f*)
ela elle
elas elles
ele il
elefante éléphant (*m*), -e (*f*)
elegante élégant (*m*), -e (*f*)
eles ils; eux (*depois de prep.*)
eletricidade électricité (*f*)
elevador ascenseur (*m*)
em algum lugar quelque part
em cima, no andar superior en haut
em direção de vers
em frente en face
em frente a en face de
em lugar nenhum nulle part
em qualquer lugar n'importe où
em toda parte partout
embaixada ambassade (*f*)
embaixo en dessous
embriagado ivre
embrulhar envelopper
emergência urgence (*f*)
empacotar empaqueter
empregada doméstica bonne (*f*)
empregado employé (*m*), -e (*f*)
emprego, trabalho travail (*m*); situation (*f*)

emprestar (*dar*) prêter
emprestar (*pedir*) emprunter
empurrar   pousser
encantado   enchanté (*m*), -e (*f*)
encantador   charmant (*m*), -e (*f*)
encher   remplir
encomendar   commander
encontrar   rencontrer
encontrar, achar   trouver
encontro marcado   rendez-vous (*m*)
endereço   adresse (*f*)
enfermeiro   infirmier (*m*), infirmière (*f*)
engenheiro   ingénieur (*m*)
engraçado   drôle
enjôo   mal de mer (*m*)
enquanto   pendant que
ensinar   enseigner; apprendre
enterro   enterrement (*m*)
entrada   entrée (*f*)
entre   entre
entre (*vários*)   parmi
entregar   livrer
envelope   enveloppe (*f*)
errado   faux (*m*), fausse (*f*)
erro   erreur (*f*); faute (*f*)
ervilhas   petits pois (*m. pl.*)
esbelto   mince
escada   escalier (*m*)
escada (*de pedreiro*)   échelle (*f*)
escapar   s'échapper
escocês   Écossais (*m*), -e (*f*)
Escócia   Écosse (*f*)
escola   école (*f*)
escolher   choisir
esconder   cacher
escova de cabelos   brosse à cheveux (*f*)
escova de dentes   brosse à dents (*f*)
escrever   écrire
escritor   écrivain
escritório   bureau (*m*)
escrivaninha   bureau (*m*)
escuro   sombre
escutar   écouter
esmeralda   émeraude (*f*)
Espanha   Espagne (*f*)
espanhol   Espagnol (*m*), -e (*f*)
especial   spécial (*m*), -e (*f*)
especialmente   spécialement
espelho   miroir (*m*)
esperar, aguardar   attendre
esperar, ter esperança   espérer
esperto, hábil   habile
espetáculo   spetacle
espingarda   fusil (*m*)
esporte   sport (*m*)
esposa   femme (*f*); épouse (*f*)
esquecer   oublier
esquerda   gauche (*f*)
esquiar   skier
esta noite   ce soir (*m*)
estação   saison (*f*)
estação (*de trem*)   gare (*f*)
estacionar   parquer, garer
estado   état (*m*)
Estados Unidos   États-Unis (*m. pl.*)
estar errado   avoir tort
estátua   statue (*f*)
estenógrafo   sténographe
estilo   style (*m*)
estômago   estomac (*m*)
estória   histoire (*f*)
estrada   route (*f*)

estrangeiro étranger (*m*); étrangère (*f*)
estranho étrange
estreito étroit (*m*), -e (*f*)
estrela étoile (*f*)
estudante étudiant (*m*), -e (*f*)
estudar étudier
estúpido, tolo stupide; bête
eu je
eu mesmo moi-même
Europa Europe (*f*)
europeu Européen (*m*), -ne (*f*)
evitar éviter
examinar examiner
exatamente exactement
exceção exception (*f*)
excelente excellent (*m*), -e (*f*)
exceto, salvo sauf
exemplo exemple (*m*)
exercício exercice (*m*)
exército armée (*f*)
experiência experience (*f*)
explicar expliquer
explodir exploser
explorador explorateur (*m*), exploratrice (*f*)
exportar exporter
exposição exposition (*f*)
expressão expression (*f*)
exprimir exprimer
extra extra

F

fábrica usine (*f*)
fabricar fabriquer
faca couteau (*m*)
fácil facile
facilmente facilement
fome faim (*f*)
falar parler
família famille (*f*)
famoso fameux (*m*), fameuse (*f*); celèbre
farinha farine (*f*)
farmácia pharmacie (*f*)
favor service (*m*)
favorito, preferido préféré (*m*), -e (*f*)
fazenda ferme (*f*)
fazer faire
febre fièvre (*f*)
fechado fermé (*m*), -e (*f*)
fechar fermer
feijões haricots (*m*)
feio laid (*m*), -e (*f*)
feito fait (*m*), -e (*f*)
felicitações, parabéns félicitations (*f*)
feliz heureux (*m*), heureuse (*f*)
felizmente heureusement
férias vacances (*f. pl.*)
ferramenta outil (*m*)
ferrovia chemin de fer (*m*)
festa fête (*f*), réunion (*f*)
fevereiro février (*m*)
ficar rester
fígado foie (*m*)
filho fils (*m*), fille (*f*)
filme film (*m*)
fim fin (*f*)
fim de semana week-end (*m*)
final final (*m*), -e (*f*)
final terminaison (*f*)
finalmente, enfim enfin
fita (*de gravador*) bande magnétique (*f*)

flor fleur (*f*)
floresta forêt (*f*)
florista fleuriste
fogo feu (*m*)
fonte fontaine (*f*)
fora à l'extérieur, dehors
forma forme (*f*)
formal formel (*m*), -le (*f*)
formar former
formiga fourmi (*f*)
fórmula formule (*f*)
forte fort (*m*), -e (*f*)
fortuna fortune (*f*)
fósforo allumette (*f*)
fotografia photo (*f*)
fraco faible
frágil fragile
França France
francês Français (*m*), -e (*f*)
frango poulet (*m*)
freguês, cliente client (*m*), -e (*f*)
freqüentemente souvent
fresco frais (*m*), fraiche (*f*)
frio froid (*m*), -e (*f*)
frito frit (*m*), -e (*f*)
fruto fruit (*m*)
frutos do mar fruits de mer (*m. pl.*)
fumaça fumée (*f*)
fumar fumer
fundo fond (*m*)
futuro futur (*m*); avenir (*m*)

G

ganhar gagner
ganso oie (*f*)
garagem garage (*m*)
garçom garçon (*m*)
garçonete serveuse (*f*)
garfo fourchette (*f*)
garganta gorge (*f*)
garrafa bouteille (*f*)
gasolina essence (*f*)
gastar dépenser
gato chat (*m*), -te (*f*)
gaveta tiroir (*m*)
geladeira réfrigérateur (*m*)
gelado gelé (*m*), -e (*f*)
gelo glace (*f*); glaçon (*m*)
generoso généraux (*m*), généreuse (*f*)
genro gendre (*m*)
gentil gentil (*m*), -le (*f*)
geração génération (*f*)
geral général (*m*), -e (*f*)
geralmente généralement
golfe golf (*m*)
golfo golf (*m*)
gordo gros (*m*), -se (*f*)
gorjeta pourboire (*m*)
gostar aimer
governo gouvernement (*m*)
gracioso gracieux (*m*), gracieuse (*f*)
grama herbe (*f*)
grande grand (*m*), -e (*f*); gros (*m*), grosse (*f*)
grato reconnaissant (*m*), -e (*f*)
gravador magnétophone (*m*)
gravata cravate (*f*)
grávida enceinte (*f*)
Grécia Grèce (*f*)
grego Grec (*m*), Grecque (*f*)
grelhado grillé (*m*), -e (*f*)
greve grève (*f*)
grupo groupe (*m*)

guarda-chuva parapluie (*m*)
guardanapo serviette (*f*)
guardar garder
guerra guerre (*f*)
guia guide (*m*)

H

há il y a
habitante habitant (*m*), -e (*f*)
hábito, costume habitude (*f*)
habitualmente d'habitude
helicóptero helicoptère (*m*)
herdar hériter
herói héros (*m*), héroïne (*f*)
hesitar hésiter
história histoire (*f*)
hoje aujourd'hui
homem homme (*m*)
homem de negócios homme d'affaires (*m*)
honesto honnête
honra honneur (*f*)
hora heure (*f*)
hóspede, convidado hôte (*m*), hôtesse (*f*)
hospital hôpital (*m*)
hospitalidade hospitalité (*f*)
hotel hôtel (*m*)

I

idade âge (*m*)
idéia idée (*f*)
idiota idiot (*m*), -e (*f*)
ignorante ignorant (*m*), -e (*f*)
igreja église (*f*)
ilha île (*f*)

ilustração illustration (*f*)
imaginação imagination (*f*)
imaginar s'imaginer; imaginer
imediatamente immédiatement; tout de suite
imitação imitation (*f*)
impedir empêcher
imperfeito imparfait (*m*), -e (*f*)
importância importance (*f*)
importar importer
impossível impossible
imposto impôt (*m*)
incluído inclus (*m*), -e (*f*); compris (*m*), -e (*f*)
incluir inclure
inclusive y compris (*m*), -e (*f*)
incômodo incommode
incrível incroyable
indicar indiquer
indigestão indigestion (*f*)
indústria industrie (*f*)
industrial industriel (*m*), -le (*f*)
infelizmente malheureusement
inferno enfer
informação renseignement (*m*)
Inglaterra Angleterre
inglês Anglais (*m*), -e (*f*)
injeção injection (*f*); piqûre (*f*)
inquietar-se, preocupar-se s'inquiéter; se soucier
inseto insecte (*m*)
insistir insister
inspeção inspection (*f*)
inspecionar inspecter
instalar installer
instrumento instrument (*m*)
insultar insulter
insulto insulte (*f*)
inteiro entier (*m*), entière (*f*)

inteligente intelligent (*m*), -e (*f*)
interessante intéressant (*m*), -e (*f*)
internacional international (*m*), -e (*f*)
intérprete interprète
introduzir introduire
inverno hiver (*m*)
ir aller
ir embora s'en aller
Irlanda Irlande (*f*)
irlandês Irlandais (*m*), -e (*f*)
irmão frère (*m*), soeur (*f*)
Israel Israël (*m*)
israelense Israelien (*m*), -ne (*f*)
Itália Italie (*f*)
italiano Italien (*m*), -ne (*f*)

J

já déjà
janeiro janvier (*m*)
janela fenêtre (*f*)
jantar dîner (*m*)
Japão Japon (*m*)
japonês Japonais (*m*), -e (*f*)
jardim jardin (*m*)
joelho genou (*m*)
jogar (*um jogo*) jouer
jogar, atirar jeter
jogo jeu (*m*)
jóia bijoux (*m*); bijouterie (*f*)
jornal journal (*m*)
judeu juif (*m*), juive (*f*)
julho juillet (*m*)
junho juin (*m*)
junto ensemble
juventude jeunesse (*f*)

L

lá là
lã laine (*f*)
lá, ali là-bas
lábio lèvre (*f*)
laboratório laboratoire (*m*)
lago lac (*m*)
lagosta homard (*m*)
lama boue (*f*)
lamentar regretter
lanterna lampe de poche (*f*)
lápis crayon (*m*)
laranja orange (*f*)
lareira cheminée (*f*)
lata boîte (*f*)
lavabo toilette (*f*)
lavar laver
lavável lavable
leão lion (*m*), -ne (*f*)
legume légume (*m*)
leite lait (*m*)
lembrança souvenir (*m*)
lembrar, lembrar-se rappeler, se rappeler
lenço (*de cabeça*) foulard (*m*)
lenço (*de nariz*) mouchoir (*m*)
lento lent (*m*), -e (*f*)
ler lire
leste est (*m*)
levantar lever
levantar-se se lever
levar porter
lhe (*a ele, a ela*) lui
lhes (*a eles, a elas*) leur
liberdade liberté (*f*)
libra (*peso*) livre (*f*)
lição leçon (*f*)
licença permis (*m*)

limão citron (*m*)
limite limite (*f*)
limpar nettoyer
limpo propre
língua langue (*f*)
linguagem langage (*m*)
linha fil (*m*)
liquidação, saldo solde (*m*)
lista liste (*f*)
livraria librairie (*f*)
livre libre
livro livre (*m*)
lobo loup (*m*), louve (*f*)
locador locateur (*m*), locateuse (*f*)
locatário locataire
logo bientôt
loiro blond (*m*), -e (*f*)
loja magasin (*m*); boutique (*f*)
loja de departamentos grand magasin (*m*)
longe loin
longo long (*m*), -ue (*f*)
lotado complet (*m*), complète (*f*)
loteria loterie (*f*)
louco fou (*m*), folle (*f*)
lua lune (*f*)
lucro profit (*m*)
lugar, local endroit (*m*)
lugar (*espaço, assento*) place (*f*)
lutar lutter; se battre
luva gant (*m*)
luz lumière (*f*)

M

maçã pomme (*f*)
macaco singe (*m*)

mãe mère (*f*)
magnífico magnifique
maio mai (*m*)
mais plus
mais longe plus loin
mais tarde plus tard
mal mal
mal-entendido malentendu (*m*)
mala valise (*f*)
malha, pulôver pull (*m*)
mancha tache (*f*)
mandar envoyer
mandar buscar envoyer chercher
manga manche (*f*)
manhã matin (*m*)
manicure manicure (*f*)
manteiga beurre (*m*)
manufaturado fait à la main
mão main (*f*)
mapa carte (*f*)
máquina machine (*f*)
máquina de escrever machine à écrire (*f*)
máquina fotográfica appareil de photos (*m*)
mar mer (*f*)
maravilhoso merveilleux (*m*), merveilleuse (*f*)
março mars (*m*)
marfim ivoire (*m*)
marido mari (*m*)
marinha marine (*f*)
marinheiro marin (*m*)
mármore marbre (*m*)
martelo marteau (*m*)
mas mais
massa masse (*f*)
massagem massage (*m*)
matar tuer

me me, moi
mecânico mécanicien (*m*), -ne (*f*)
medalha médaille (*f*)
medicamento, remédio médicament (*m*)
médio moyen (*m*), -ne (*f*)
Mediterrâneo Méditerrannée (*f*)
meia-noite minuit (*m*)
meia chaussette (*f*); bas (*m*)
meio milieu (*m*)
meio demi (*m*), -e (*f*)
meio-dia midi (*m*)
mel miel (*m*)
melhor meilleur (*m*), -e (*f*)
melhor (*adv.*) mieux
melhorar améliorer
membro membre (*m*)
menino garçon (*m*), fille (*f*)
menos moins
mensagem message (*m*)
mentira mensonge (*f*)
mercado, feira marché (*m*)
mês mois (*m*)
mesa table (*f*)
mesmo même
metal métal (*m*)
metro mètre (*m*)
metro, fita métrica compteur (*m*)
metrô métro (*m*)
meu, minha (*adj.*) mon, ma
meu, minha (*pron.*) mien, mienne
meus, minhas (*adj.*) mes
meus, minhas (*pron.*) miens, miennes
mexer mouvoir
mexicano Mexicain (*m*), -e (*f*)
México Mexique

microfone micro (*m*)
mil mille
milhão million
ministro ministre (*m*), ministresse (*f*)
minuto minute (*f*)
missa messe (*f*)
mistério mystère (*m*)
mistura mélange (*m*)
misturar mélanger
mobília meubles (*m*)
moda mode (*f*)
modelo modèle (*m*)
moderno moderne
moeda monnaie (*f*)
molho sauce (*f*)
momento moment (*m*)
montanha montagne (*f*)
montante montant (*m*)
monumento monument (*m*)
morrer mourir
morto mort (*m*), -e (*f*)
mosca mouche (*f*)
mostarda moutarde (*f*)
mostrar montrer
motocicleta motocyclette (*f*)
motor moteur (*m*)
motorista chauffeur (*m*), chauffeuse (*f*); conducteur (*m*), conductrice (*f*)
mudar-se (*de residência*) démenager
muito beaucoup; très
muito bem très bien
muitos beaucoup de
mulher femme (*f*)
multidão foule (*f*)
mundo monde (*m*)
músculo muscle (*m*)

museu musée (*m*)
música musique (*f*)
músico musicien (*m*), -ne (*f*)

N

nacionalidade nationalité (*f*)
Nações Unidas Nations Unies (*f. pl.*)
nada rien
nadar nager
não ne... pas; non, pas de
não há de quê, de nada il n'y a pas de quoi; de rien
nariz nez (*m*)
nascido né (*m*), -e (*f*)
natal Noël (*m*)
navalha, lâmina de barbear rasoir (*m*)
navegar naviguer
neblina brouillard (*m*)
necessário nécessaire
negligenciar négliger
negócios affaires (*f*)
nem... nem ni... ni
nenhum aucun (*m*), -e (*f*)
nervoso nerveux (*m*), nerveuse (*f*)
neto petit-fils (*m*), petite-fille (*f*)
neutro neutre
neve neige (*f*)
ninguém personne
noite soir (*m*); nuit (*f*)
noivo marié (*m*), -e (*f*); fiancé (*m*), -e (*f*)
nome, sobrenome nom (*m*)
nome, prenome prénom
nora belle-fille (*f*)
normal normal (*m*), -e (*f*)
norte nord (*m*)
nós nous
nos nous
nosso, nossa (*adj.*) notre
nosso, nossa (*pron.*) nôtre
nossos, nossas (*adj.*) nos
nossos, nossas (*pron.*) nôtres
nota note (*f*)
notar remarquer
notícias nouvelles (*f. pl.*)
nove neuf
novembro novembre (*m*)
noventa quatre-vingt-dix
novo nouveau (*m*), nouvelle (*f*); neuf (*m*), neuve (*f*)
noz noix (*f*)
número nombre (*m*)
numeroso nombreux (*m*), nombreuse (*f*)
nunca, jamais jamais
nuvem nuage (*m*)

O

o, os (*artigo*) le, les
o, os (*pron. obj. dir.*) le, les
o mais le plus
obedecer obéir
objeto objet (*m*)
obrigado, -a merci
obrigar obliger
obter, conseguir obtenir
oceano océan (*m*)
óculos lunettes (*f*)
ocupação occupation (*f*)
ocupado occupé (*m*), -e (*f*)
odiar haïr
oeste ouest (*m*)

oferecer offrir
oficial officier (*m*)
oitenta quatre-vingts
oito huit
óleo huile (*f*)
olhar regarder
olho oeil (*m*)
olhos yeux (*m*)
ombro épaule (*f*)
omelete omelette (*f*)
onde où
ônibus autobus (*m*)
onze onze
ópera opéra (*m*)
operação opération (*f*)
opinião opinion (*f*)
oportunidade, ocasião occasion (*f*)
o qual lequel (*m*), laquelle (*f*)
os quais lesquels (*m*), lesquelles (*f*)
ordem ordre (*m*)
ordenar ordonner
ordinário, comum ordinaire
orelha oreille (*f*)
órfão orphelin (*m*), -e (*f*)
original original (*m*), -e (*f*)
orquestra orchestre (*m*)
ostra huître (*f*)
ótimo, muito bem très bien
ou ou
ouro or (*m*)
outono automne (*m*)
outro autre
outubro octobre (*m*)
ouvir entendre
ovo oeuf (*m*)

P

pacote paquet (*m*)
padaria boulangerie (*f*)
padre prêtre (*m*)
pagar payer
página page (*f*)
pago payé (*m*), -e (*f*)
pai père
pais parents (*m. pl.*)
país, região pays (*m*)
paisagem paysage (*m*)
palácio palais (*m*)
palavra mot (*m*)
palco scène (*f*)
paletó veste (*f*)
panela casserole (*f*)
pão pain (*m*)
papa Pape (*m*)
papel papier (*m*)
par paire
para pour
para (*em direção a*) à, vers
parada, desfile défilé (*m*)
parar arrêter
parecer sembler
parede mur (*m*)
parentes parents (*m*)
parisiense Parisien (*m*), -ne (*f*)
parque parc (*m*)
parte partie (*f*)
partido parti (*m*)
partir partir
passado passé (*m*), -e (*f*)
passageiro (*de navio, avião*) passager (*m*), passagère (*f*)
passageiro (*de trem, ônibus*) voyageur (*m*), voyageuse (*f*)
passaporte passeport (*m*)

321

passar (*roupas*) repasser
passar, ultrapassar dépasser
pássaro oiseau (*m*)
passear se promener
pasta, maleta serviette (*f*)
patinar patiner
pato canard (*m*)
patrão patron (*m*), -ne (*f*)
paz paix (*f*)
pé pied (*m*)
peça pièce (*f*)
pedaço morceau (*m*)
pedestre piéton (*m*), -ne (*f*)
pedra pierre (*f*)
peito poitrine (*f*)
peixe poisson (*m*)
pele peau (*f*)
pele de animal fourrure (*f*)
pensar penser
pente peigne (*m*)
pequeno petit (*m*), -e (*f*)
perdão pardon (*m*)
perder perdre
perder (*trem, ônibus, etc.*) manquer
perdido perdu (*m*), -e (*f*)
perdoar pardonner
perfeito parfait (*m*), -e (*f*)
perfume parfum (*m*)
pergunta, questão question (*f*)
perguntar demander
perigoso dangereux (*m*), dangereuse (*f*)
permanecer rester
permanente permanent (*m*), -e (*f*)
permitido permis (*m*), -e (*f*)
permitir permettre
perna jambe (*f*)
pertencer appartenir

perto près
perturbar, atrapalhar déranger
peruca perruque (*f*)
pesado lourd (*m*), -e (*f*)
pesar peser
pescar pêcher
pescoço cou (*m*)
peso poids (*m*)
pêssego pêche (*f*)
pessoa personne (*f*)
pessoas gens
piada blague (*f*); plaisanterie (*f*)
piano piano (*m*)
pijama pyjama (*m*)
pílula pilule (*f*)
pimenta poivre (*m*)
pintar peindre
pintura peinture (*f*)
pior pire
piscina piscine (*f*)
planeta planète (*f*)
plano, projeto plan (*m*); projet (*m*)
planta plante (*f*)
plataforma (*de trem*) quai (*m*)
plural pluriel (*m*)
pneu pneu (*m*)
pobre pauvre
poder pouvoir
poeira poussière (*f*)
poesia poésie (*f*)
poeta poète (*m*)
polícia police (*f*)
policial agent de police (*m*)
ponte pont (*m*)
ponto de ônibus arrêt d'autobus (*m*)
popular populaire
por par

por avião par avion
por favor s'il vous plaît, prière de
por que pourquoi
porcentagem pourcentage (*m*)
porco cochon (*m*)
porque parce que
porta porte (*f*)
portanto donc
portão portière (*f*)
Portugal Portugal (*m*)
português Portugais (*m*), -e (*f*)
posição position (*f*)
possível possible
possuir posséder
posto de gasolina station-service (*f*); poste d'essence (*m*)
praia plage (*f*)
prata argent (*m*)
praticar pratiquer
prático pratique
prato assiette (*f*); plat (*m*)
prazer plaisir (*m*)
precisar avoir besoin de
preço prix (*m*)
prédio bâtiment (*m*)
preferir préférer
preguiçoso paresseux (*m*), paresseuse (*f*)
prêmio prix (*m*)
prender arrêter
preparar préparer
presente cadeau (*m*)
presente (*tempo*) présent (*m*)
presidente président
presunto jambon (*m*)
preto noir (*m*), -e (*f*)
primavera printemps (*m*)
primeiro premier (*m*), première (*f*)

primo cousin (*m*), -e (*f*)
principal principal (*m*), -e (*f*)
príncipe prince (*m*), -sse (*f*)
prisão prison (*f*)
privado privé (*m*), -e (*f*)
problema problème (*m*)
procurar chercher
produção production (*f*)
produzir produire
professor professeur
profissão profession (*f*)
profundo profond (*m*), -e (*f*)
programa programme (*m*)
proibido défendu (*m*), -e (*f*)
proibir défendre
prometer promettre
prometido promis (*m*), -e (*f*)
pronome pronom (*m*)
pronto prêt (*m*), -e (*f*)
pronúncia prononciation (*f*)
propaganda propagande (*f*)
propriedade proprieté (*f*)
proprietário propriétaire
próprio propre
prosseguir avancer
protestante protestant (*m*), -e (*f*)
protestar protester
provar prouver
provar (*alimento*), **saborear** goûter
provavelmente probablement
psiquiatra psychiatre
publicidade publicité (*f*)
público public (*m*), publique (*f*)
pular sauter
pulmão poumon (*m*)
pulso poignet (*m*)
punho poing (*m*)
puro pur (*m*), -e (*f*)

púrpura, roxo violet (*m*), -te (*f*)
puxar tirer

Q

quadro tableau (*m*)
quais (*adj.*) quels (*m*), quelles (*f*)
qual (*adj.*) quel (*m*), quelle (*f*)
qualidade qualité (*f*)
qualquer um (*de um grupo*) n'importe lequel (*m*), — laquelle (*f*)
qualquer um, qualquer uma n'importe quel (*m*), — quelle (*f*)
quando quand
quantidade quantité (*f*)
quarenta quarante
quarta-feira mercredi (*m*)
quarto chambre (*f*)
quarto (*quarta parte*) quart
quase presque
quatorze quatorze
quatro quatre
que (*adj.*) quel (*m*), quelle (*f*), quels (*m. pl.*), quelles (*f. pl.*)
que (*pron. int.*) que, qu'est-ce qui; qu'est-ce que; quoi
que (*pron. relat. obj. dir.*) que
que (*pron. relat. sujeito*) qui
quebrado cassé (*m*), -e (*f*)
quebrar casser
queijo fromage (*m*)
queimar brûler
queixo menton (*m*)
quente chaud (*m*), -e (*f*)
querer vouloir
querer dizer, significar vouloir dire, signifier
querido cher (*m*), chère (*f*)

quilômetro kilomètre (*m*)
quinta-feira jeudi (*m*)
quinze quinze

R

rã grenouille (*f*)
rabino rabin (*m*)
raça race (*f*)
rádio radio (*f*)
raio X rayon X (*m*)
rapidamente rapidement; vite
rápido rapide
raposa renard (*m*)
raramente rarement
raro rare
rato rat (*m*)
razão raison (*f*)
receber recevoir
receita recette (*f*)
recentemente récemment
recepcionista hôtesse (*f*)
recibo reçu (*m*)
recomendar recommander
recompensa récompense (*f*)
reconhecer reconnaître
recusar refuser
redondo rond (*m*), -e (*f*)
reembolsar rembourser
refeição repas (*m*)
regular régulier (*m*), regulière (*f*)
rei roi (*m*), reine (*f*)
relatório rapport (*m*)
religião religion (*f*)
relógio horloge (*m*)
relógio (*de pulso*) montre (*f*)
relógio (*de pêndulo*) pendule (*f*)

renda dentelle (*f*)
renda, rendimento revenu (*m*)
repetir répéter
repolho chou (*m*)
representante représentant (*m*), -e (*f*)
representar répresenter
república république (*f*)
residente résident (*m*), -e (*f*)
respirar respirer
responder répondre
responsável responsable
resposta réponse (*f*)
restaurante restaurant (*m*)
retornar revenir
retrato portrait (*m*)
reunião réunion (*f*)
revista magazine (*m*); revue (*f*)
revolução révolution (*f*)
rico riche
rio fleuve (*m*)
risco risque (*m*)
roda roue (*f*)
rodovia route (*f*)
rolha bouchon (*m*)
romance roman (*m*)
rosa (*cor*) rose (*m*)
rosa (*flor*) rose (*f*)
rosto visage (*m*)
roubar voler
roupa branca linge (*m*)
roupa íntima sous-vêtement (*m*)
roupa vêtement (*m*)
rua rue (*f*)
ruim mauvais (*m*), -e (*f*)
Rússia Russie (*f*)
russo Russe

S

sábado samedi (*m*)
sabão savon (*m*)
sabor goût (*m*); parfum (*m*)
saca-rolhas tire-bouchon (*m*)
saia jupe (*f*)
saída sortie (*f*)
sair sortir
sal sel (*m*)
sala salle (*f*)
sala de jantar salle à manger (*f*)
sala de visita salon (*m*)
salada salade (*f*)
salão de beleza salon de beauté (*m*)
salário salaire (*m*)
salto talon (*m*)
salvo sauf
sangue sang (*m*)
santo saint (*m*), -e (*f*)
saudável sain (*m*), -e (*f*)
saúde santé (*f*)
se si
seção (*de loja*) rayon (*m*)
seção section (*f*)
seco sec (*m*), sèche (*f*)
secretário secrétaire
secreto secret (*m*), secrète (*f*)
século siècle (*m*)
seda soie (*f*)
sede soif (*f*)
segredo secret (*m*)
seguinte, próximo prochain (*m*), -e (*f*)
seguir suivre
segunda-feira lundi (*m*)
segundo (*tempo*) seconde (*f*)
segundo (*ordinal*) second (*m*), -e (*f*); deuxième

seguramente sûrement
segurar tenir
seguro sûr (*m*), -e (*f*)
seis six
selo timbre (*m*)
selvagem sauvage
sem sans
semana semaine (*f*)
sempre toujours
senhor Monsieur (*m*)
senhora Madame (*f*)
senhorita Mademoiselle (*f*)
sensato sage
sentar-se s'asseoir
sentido (*triste*) désolé (*m*), -e (*f*)
sentir falta de regretter
sentir-se se sentir
separado séparé (*m*), -e (*f*)
ser, estar être
sério sérieux (*m*), sérieuse (*f*)
serviço service
sessão séance (*f*)
sessenta soixante
sete sept
setembro septembre (*m*)
setenta soixante-dix
seu, sua (*dele, dela - adj.*) son, sa
seu, sua (*dele, dela - pron.*) sien, sienne
seus, suas (*deles, delas - adj.*) ses
seus, suas (*deles, delas - pron.*) siens, siennes
seu, sua (*dele, dela - adj.*) leur
seu, sua (*dele, dela - pron.*) leur
seus, suas (*deles, delas - adj.*) leurs
seus, suas (*deles, delas - pron.*) leurs
sexo sexe (*m*)

sexta-feira vendredi (*m*)
silêncio silence (*m*)
sim oui
simples simple
sinal signe (*m*)
sinceramente sincèrement
sistema système (*m*)
situação situation (*f*)
só seul
sob sous
sobre, a respeito de concernant
sobre, em cima de sur
sobretudo, casaco pardessus (*m*), manteau (*m*)
sobrinho neveu (*m*), nièce (*f*)
sócio associé (*m*), -e (*f*)
Socorro! Au secours!
sofá canapé (*m*)
sogro beau-père (*m*), belle-mère (*f*)
sol soleil (*m*)
soldado soldat (*m*)
soletrar épeler
sólido solide
solteiro célibataire
som son (*m*)
somente seulement
sonho rêve (*m*)
sopa soupe (*f*)
soprar souffler
sorte chance (*f*)
sortimento assortiment (*m*)
sorvete glace (*f*)
sotaque accent (*m*)
sozinho seul (*m*), -e (*f*)
suave suave; doux (*m*), douce (*f*)
subir monter
subitamente soudainement, soudain

submarino sous-marin (*m*), -e (*f*)
subsolo sous-sol (*m*)
substantivo nom (*m*)
sucesso succès (*m*)
suco jus (*m*)
suco de laranja jus d'orange (*m*)
suficiente, bastante assez
Suíça Suisse (*f*)
suíço Suisse
sujo sale
sul sud (*m*); midi (*m*)
surpresa surprise (*f*)
sutiã soutien-gorge (*m*)

T

tabaco tabac (*m*)
tailleur (*roupa*) tailleur (*m*)
talento talent (*m*)
talvez peut-être
tamanho taille (*f*)
também aussi
tambor tambour (*m*)
tanque réservoir (*m*)
tapete tapis (*m*)
tarde après-midi (*m*)
tarde tard
taxa taux (*m*)
táxi taxi (*m*)
te te, toi
teatro théâtre (*m*)
telefone téléphone (*m*)
telegrama télégramme (*m*)
televisão télévision (*f*)
temer redouter
temperatura température (*f*)
tempestade orage (*m*)
templo temple (*m*)
tempo temps (*m*)
temporário temporaire
tenente lieutenant (*m*)
tênis tennis (*m*)
tentar, experimentar essayer
ter avoir
terça-feira mardi (*m*)
terceiro troisième
terminado fini (*m*), -e (*f*)
terminar, acabar finir
termômetro thermomètre (*m*)
terno complet (*m*); costume (*m*)
terra terre (*f*)
terraço terrasse (*f*)
terrível terrible
tesoura ciseaux (*m. pl.*)
tesoureiro trésorier (*m*), tresorière (*f*)
tesouro trésor (*m*)
teto plafond (*m*)
teto toit (*m*)
teu, tua (*adj.*) ton, ta
teu, tua (*pron.*) tien, tienne
teus, tuas (*adj.*) tes
teus, tuas (*pron.*) tiens, tiennes
tigre tigre (*m*), -sse (*f*)
time équipe (*f*)
tinturaria teinturerie (*f*)
tio oncle (*m*), tante (*f*)
típico typique
tipo sorte (*f*); type (*m*)
tirar enlever
toalha serviette (*f*)
toalha de mesa nappe (*f*)
tocar toucher
todo tout (*m*), -e (*f*)
todo o mundo tout le monde
todos tous (*m*); toutes (*f*)

tomar prendre
tomar conta prendre soin
tomate tomate (*f*)
tornar-se devenir
tornozelo cheville (*f*)
torrada toast (*m*)
torre tour (*f*)
tosse toux (*f*)
touro taureau (*m*)
trabalhar travailler
trabalho travail (*m*)
tradução traduction (*f*)
tráfego circulation (*f*); trafic (*m*)
traga-me... apportez-moi...
traje de banho maillot de bain (*m*)
trajeto trajet (*m*)
traseiro derrière (*m*)
travesseiro oreiller (*m*)
trazer apporter
trem train (*m*)
trepar grimper
três trois
treze treize
trigo blé (*m*)
trinta trente
triste triste
trocar changer
trocar échanger
troco, trocado monnaie (*f*)
tu (*você*) tu
tubarão requin (*m*)
tudo tout
túmulo tombe (*f*)
túnel tunnel (*m*)
turco Turque
turista touriste
Turquia Turquie (*f*)

U

último dernier (*m*), dernière (*f*)
um pouco un peu
um pouco de (*adj.*) un peu de
um, uma un (*m*), une (*f*)
uma vez une fois
uniforme uniforme (*m*)
universidade université (*f*)
urgente urgent (*m*), -e (*f*)
urso ours (*m*)
usar (*roupa*) porter
usar, empregar employer
útil utile
uva raisin (*m*)

V

Vá embora! Allez-vous-en!
vaca vache
vacinação vaccination (*f*)
vale valée (*f*)
valor valeur (*f*)
variedade variété (*f*)
vários plusieurs
vaso pot
vassoura balai (*m*)
vazio vide
vela (*de barco*) voile (*f*)
velho vieux (*m*), vieille (*f*)
velocidade vitesse (*f*)
vender vendre
veneno poison (*m*)
venenoso vénéneux (*m*), vénéneuse (*f*)
vento vent (*m*)
ver voir
verão été (*m*)

verbo verbe (*m*)
verdadeiramente vraiment
verdadeiro vrai (*m*), -e (*f*)
verde vert (*m*), -e (*f*)
vermelho rouge
vertigem vertige (*m*)
vestiário, chapelaria vestiaire (*m*)
vestido robe (*f*)
vez tour (*m*)
viagem voyage (*m*)
viajante voyageur (*m*), voyageuse (*f*)
viajar voyager
vida vie (*f*)
vidro verre (*m*)
vilarejo, aldeia village (*m*)
vinagre vinaigre (*m*)
vinho vin (*m*)
vinte vingt
violão guitar (*f*)
violeta violet (*m*), -te (*f*)
violino violon (*m*)
vir venir
virar tourner
visita visite (*f*)
visitante visiteur (*m*), visiteuse (*f*)
visitar visiter
vison vison (*m*)
vista vue (*f*)
visto (*oficial*), **autenticação** visa (*m*)
visto vu (*m*), -e (*f*)
vitória victoire (*f*)
viúvo veuf (*m*), veuve (*f*)
viver vivre
vizinhança voisinage (*m*)
voar voler
voltar retourner
vôo vol (*m*)
vosso, vossa (*seu, sua - adj.*) votre
vosso, vossa (*seu, sua - pron.*) vôtre
vossos, vossas (*seus, suas - adj.*) vos
vossos, vossas (*seus, suas - pron.*) vôtres
voz voix (*f*)

X

xícara tasse (*f*)

Z

zangado fâché (*m*), -e (*f*)
zero zéro (*m*)
zíper fermeture éclair (*f*)
zona zone (*f*)
zoológico zoo (*m*)